D0433438

COLEG
LLYSFASI
COLLEGE

1921 - 1996

D. Gwynne Morris

ISBN 0 - 9528067 - 0 - 3

Cyhoeddwyd gyntaf gan Goleg Llysfasi 1996

Argraffwyd gan W. O. Jones (Argraffwyr) Cyf.,
Llangefni, LL77 7EH.
Ffôn: 01248 750253

COLEG
LLYSFASI
COLLEGE

1921 - 1996

D. Gwynne Morris

Copyright 1996 D. Gwynne Morris

All rights reserved

ISBN 0 - 9528067 - 0 - 3

First published by Coleg Llysfasi 1996

Printed by W. O. Jones (Printers) Ltd.,
Llangefni, LL77 7EH.
Tel: 01248 750253

Gan yr awdur hwn hefyd:

"Ruthin and District: A Portrait in Old Picture Postcards"

1991, S.B. Publications

"The Postal History of Denbighshire: with Special reference to Ruthin"

1995, Ymddiriedolaeth Coelion

Ar wahân i'w flynyddoedd yn y Brifysgol ac yn gwasanaethu gyda'r lluoedd arfog, treuliodd yr awdur ddeng mlynedd ar hugain cyntaf ei oes yn hen Sefydliad Ffermio Llysfasi, yn hynaf o bedwar o blant Mr a Mrs Arthur Morris. Roedd Mr Arthur Morris yn gowmon yn Llysfasi o 1929 tan ei ymddeoliad yn 1960.

Dymuna fynegi ei ddiolch i'r Pennaeth D. F. Cunningham am ei wahoddiad i ysgrifennu'r hanes byr hwn am y Coleg ac i aelodau niferus y staff am eu cymorth caredig. Mae diolch arbennig yn ddyledus i Mrs Menna Thomas, ni fyddai'r llyfr hwn wedi bod yn bosibl oni bai amdani hi. Mae diolch yn ddyledus hefyd i'r cyn-fyfyrwyr a'r cyn-staff, sy'n rhy niferus i'w crybwyll wrth eu henwau, sydd wedi ysgrifennu i mewn gyda'u hatgofion ac sydd wedi darparu rhai o'r lluniau a welir yn y llyfr hwn.

By the same author:

"Ruthin and District: A Portrait in Old Picture Postcards"

1991, S.B. Publications

The Postal History of Denbighshire: with Special reference to Ruthin"

1995, The Coelion Trust

The author, apart from his years at University and National Service, spent the first thirty years of his life at the old Llysfasi Farm Institute, being the eldest of the four children of Mr. and Mrs. Arthur Morris. Mr. Arthur Morris was cowman at Llysfasi from 1929 until his retirement in 1960.

He wishes to express his gratitude to Principal D. F. Cunningham for his invitation to write this brief history of the College and to the many members of staff for their kind assistance. Special thanks are due to Mrs. Menna Thomas without whom this book would not have been possible. Thanks are also due to the old students and staff, too numerous to mention by name, who have written in with their reminiscences and for providing some of the photographs which are included in the book.

Rhagair

Y mae'r llyfr hwn yn dathlu llwyddiant y saith deg pump mlynedd cyntaf o addysg yn Llysfasi. Y mae'r testun a'r lluniau'n codi atgyfodion am y gorffennol ac fe rydd fwynhad i'r llu o bobl sydd â rhyw gysylltiad â'r Coleg - boed yn fyfyrwyr, yn staff, yn gyfeillion, yn gymdogion neu'n unrhyw un arall sydd â chysylltiad â Llysfasi. Y mae'n gosod y sail ar gyfer y dyfodol ac am flynyddoedd lawer i ddod!

O ganlyniad i weledigaeth, brwdfrydedd ac ymrwymiad Pwyllgor Addysg Sir Ddinbych a'r Pennaeth cyntaf, Mr. Isaac Jones, sicrhawyd bod Llysfasi yn ganolfan addysg amaethyddol o fri ar draws Gogledd a Chanolbarth Cymru. Er ei ddechreuadau bychain yn yr 'hen' Sir Ddinbych, y mae Llysfasi wedi datblygu'n goleg amaethyddol sylweddol y Sir Ddinbych 'newydd'. Ynghyd â'r addysg amaethyddol sy'n ganolbwynt i'r Coleg, darperir ystod eang iawn o addysg o'r ansawdd uchaf. Y mae hynny'n cynnwys, er enghraifft, yr adran goedwigaeth fwyaf yng Nghymru, Uned Fusnes, Iaith ac Ysgrifenyddol heb ei ail, darpariaeth Cymraeg i Oedolion ar draws y Sir ac yn y lle gwaith.

O ddyddiau cynnar ugeiniau'r ganrif hon hyd yr amser presennol, y mae olyniaeth o staff a llywodraethwyr ymrwymedig yn Llysfasi wedi cadw'r Coleg yn sicr ddigon yng nghraidd y gymuned ffermio. Y mae awyrgylch croesawgar a chefnogol y Coleg wedi sicrhau bod iddo le arbennig yn serchiadau'r bobl leol. Y mae'r Pennaeth a'r staff presennol yn falch o gael bod ynghlwm wrth lwyddiant Llysfasi. Ymrônt yn weithgar i wynebu sialens y presennol a chyfrannant yn frwdfrydig at ddatblygiadau'r dyfodol.

Y mae llawer wedi newid, ond erys ysbryd y myfyrwyr, y staff a'r llywodraethwyr cynnar yn fyw iawn yn eu holynwyr presennol, gan ddwyn Llysfasi i fileniwm newydd a chan sicrhau addysg ar gyfer pobl wledig Gogledd Cymru yn y dyfodol.

D. F. Cunningham

Foreword

This book is a celebration of the first seventy-five successful years of education at Llysfasi. The text and photographs revive the memories of the past and will give pleasure to the very many people who have some association with the College as students, staff, friends, neighbours or in some other capacity. It sets the scene for the future and many more years to come!

The vision, enthusiasm and commitment of the Denbighshire Education Committee and the first Principal, Mr. Isaac Jones, established Llysfasi as the centre of excellence for agricultural education across the whole of North and Mid-Wales. Since its modest beginnings in the 'old' County of Denbighshire, Llysfasi has developed as a prestigious agricultural college and is now the substantial multi-disciplinary rural college of the 'new' County of Denbighshire. With agricultural education at the centre of the College, a very extensive range of high quality education is provided, including, for example, the largest forestry department in Wales, a Business, Language and Secretarial Unit, which is second to none, Welsh for Adults provision across the County and Welsh in the Workplace: the opportunity for employees to learn Welsh in their place of work.

From the early days of the nineteen - twenties until the present time, a succession of dedicated staff and governors of Llysfasi has kept the College firmly placed at the heart of the farming community. The outgoing, welcoming and supportive atmosphere of the College has ensured that Llysfasi has a special place in the affections of local people. The present Principal and staff of the College are proud to be associated with this success story. They are actively involved in facing the challenges of today and are enthusiastically contributing to future developments.

Much has changed, but the spirit of the early students, staff and governors lives on in their present day successors, taking Llysfasi into the new millennium and a secure educational future for the rural people of North Wales.

D. F. Cunningham

Y Pedwar Pennaeth

The Four Principals

Mr Issac Jones 1920 - 1943

Cyn ei benodi'n Bennaeth yn 1920, roedd Mr Isaac Jones, gŵr o Sir Gaernarfon, yn Drefnydd Addysg Amaethyddol yn Siroedd Dinbych a'r Fflint. Penodwyd ei wraig fel Metron gyntaf y Sefydliad yr un pryd. Bydd y darllenwyr hŷn yn cofio eu bod yn rhedeg Llysfasi fel tîm yn wir, gyda Mrs Jones nid yn unig yn gofalu am les y staff a'r myfyrwyr ond hefyd yn adnabyddus am ysgrifennu a chyfeilio i ganeuon priodol yn y cyngherddau diwedd tymor enwog.

Mr Isaac Jones 1920 - 1943

Before his appointment as Principal in 1920, Mr. Isaac Jones, a Caernarvonshire man was the Organiser of Agricultural Education for the Counties of Denbighshire and Flintshire. His wife was appointed at the same time as the Institute's first Matron. Older readers will remember that they ran Llysfasi very much as a team with Mrs. Jones, not only being concerned with the welfare of staff and students, but being well known for writing and accompanying appropriate songs at their famous end of term concerts.

Mr D S Edwards 1943 - 1967

Yn frodor o Grymych yn Sir Benfro, graddiodd Mr D. S. Edwards o Goleg y Brifysgol, Aberystwyth a Chaergrawnt. Aeth ysgoloriaeth deithio ag ef i Ddenmarc a Sweden cyn iddo gymryd swydd ddysgu yn Nhregaron. Daeth yn Ddarlithydd yn Llysfasi yn 1936. Roedd ei ddarpar-wraig, y priododd â hi yn 1938, yn Fetron ac yn Ddarlithydd mewn Gwyddor Ddomestig. Yn ystod y Rhyfel, ymunodd â 'Phwyllgor Amaethyddol Gweithredol y Rhyfel' cyn esgyn i fod yn Bennaeth pan ymddeolodd Isaac Jones.

Mr D S Edwards 1943 - 1967

Hailing from Crymych in Pembrokeshire, Mr. D. S. Edwards graduated from University College, Aberystwyth and Cambridge. A travelling scholarship took him to Denmark and Sweden before taking up a teaching post at Tregaron. He became a Lecturer at Llysfasi in 1936. His future wife, whom he married in 1938, was Matron and Domestic Science Lecturer. During the War he joined the 'War Agricultural Executive Committee' before succeeding to the Principalship on the retirement of Mr. Isaac Jones.

Mr Maldwyn Fisher 1967 - 1983

Yn fab i ffermwr, fe'i magwyd yn Fferm Broughton Hall, Wrecsam ac oddi yno mynychodd Ysgol Grove Park. Graddiodd mewn Amaethyddiaeth ac Economeg Amaethyddol o C.P.G.C. Bangor yn 1942 wedi astudio dan law yr Athro R. G. White. Wedi sbel fer yn y byd academaidd, symudodd i reoli fferm fasnachol yn Nwyrain yr Alban a Swydd Lincoln. Cyn dod yn Bennaeth yn Llysfasi yn 1967, roedd yn ddarlithydd ac yn Rheolwr y Fferm yn Ysgol Amaethyddol Norfolk.

Mr Maldwyn Fisher 1967 - 1983

A farmer's son, he was brought up at Broughton Hall Farm, Wrexham from where he attended Grove Park School. He graduated in Agriculture and Agricultural Economics at U.C.N.W., Bangor in 1942 having studied under Prof. R.G. White. After a short spell in the academic world, he moved into commercial farm management in the East of Scotland and Lincolnshire. Before becoming Principal at Llysfasi in 1967, he was a lecturer and Farm Manager at the Norfolk School of Agriculture.

Mr D. F. Cunningham 1983 - presennol

Yn wreiddiol o fferm y teulu yn Swydd Armagh, graddiodd Mr D. F. Cunningham yn C.P.G.C. Bangor ac wedi cwrs ôl-radd mewn Llaethyddiaeth, ymunodd â'r Gwasanaeth Sifil fel Ymgynghorydd Rhanbarthol. Dechreuodd ar ei yrfa mewn addysg amaethyddol pan dderbyniodd swydd Darlithydd yng Ngholeg Amaethyddol Greenmount, Gogledd Iwerddon. Cyn dod i Lysfasi fel Pennaeth, bu'n Uwch-Ddarlithydd yng Ngholeg Amaethyddol Cymru yn Aberystwyth. Mae'n briod â Menna, grwaig o Ddyffryn Clwyd, ac mae ganddynt ddau o blant.

Mr D.F. Cunningham 1983 - present

Originally from the family farm in County Armagh, Mr. D. F. Cunningham graduated at U.C.N.W., Bangor and after a post-graduate course in Dairying, he entered the Civil Service as a District Adviser. His career in agricultural education began when he took up the post of Lecturer at the Greenmount College of Agriculture, Northern Ireland. Before arriving at Llysfasi as Principal, he was a Senior Lecturer at the Welsh Agricultural College at Aberystwyth. He is married to Menna, a Vale of Clwyd lady and they have two children.

CYFLWYNIAD

Mae enw Llysfasi wedi bod yn enw cyfarwydd oddi mewn i ffiniau'r hen Sir Ddinbych, ac yna sir Clwyd (a nawr wrth gwrs, y Sir Ddinbych 'newydd'), ac yn genedlaethol ac yn rhyngwladol ym maes addysg amaethyddol am ymhell dros bedwar ugain o flynyddoedd. Mentrwyd am y tro cyntaf i'r maes hwn yn 1911 o ganlyniad i wahanu stad Castell Rhuthun ym mis Medi 1909, stad yr oedd Llysfasi'n rhan ohoni bryd hynny. Er bod amaethyddiaeth yn parhau i chwarae rhan bwysig iawn ym mywyd Llysfasi, nid Sefydliad Ffermio yn unig ydyw bellach, ond Coleg mewn ardal wledig sy'n cyflawni swyddogaeth lawer ehangach. Mae'r cyrsiau a gynigir yn awr yn cynnwys Rheoli Coedwigoedd a Choetiroedd, Ieithoedd, Astudiaethau Busnes ac Ysgrifenyddol, pynciau seiliedig ar Wyddoniaeth, Peirianneg Amaethyddol a Cherbydau Modur, Gofalu am Anifeiliaid Bychain a Nyrsio Milfeddygol. Hefyd, mae Llysfasi'n darparu amrywiaeth o gyrsiau rhan-amser a llawn-amser eraill gyda nifer o bartneriaid yn ardaloedd Dyffryn Clwyd, Dyffryn yr Afon Ddyfrdwy a Wrecsam. Yn ychwanegol at y cyrsiau hyn, cynhelir nifer o gyrsiau dydd a gyda'r nos o amrywiol hyd ar bynciau y gellir eu diffinio'n bynciau hamdden.

Heddiw, mae fferm y Coleg yn ymestyn dros ardal sy'n fwy na 300 o hectarau i gyd ac mae'n cynnwys mathau o dir sy'n amrywio o iseldir yn Nyffryn Clwyd i ardal helaeth o ucheldir glaswelltog, a thir mynyddig serth. Mae adeiladau helaeth y Coleg yn gorwedd wrth droed Nant y Garth.

INTRODUCTION

The name of Llysfasi has been synonymous within the old County of Denbighshire followed by that of Clwyd (and now of course with the 'new' Denbighshire), nationally and internationally in the field of agricultural education for well over eighty years. The first foray into this field came in 1911 as the result of the breaking up of the Ruthin Castle estate in September 1909, of which Llysfasi was then part. Although agriculture still plays a major part in the life of Llysfasi, it is no longer simply a Farm Institute, but a College in a rural area, with a very much wider remit. The courses which are now offered include Forestry and Woodland Management, Languages, Business and Secretarial Studies, Science based subjects, Agricultural and Motor Vehicle Engineering, Small Animal Care and Veterinary Nursing. In addition, Llysfasi provides a range of other part-time and full-time courses with a number of partners in the Vale of Clwyd, Dee Valley and Wrexham areas. In addition to these courses, there are many day and evening courses of various lengths on what may be defined as leisure subjects.

In total today, the College farm extends over an area in excess of 300 hectares and includes land types from lowland in the Vale of Clwyd, through an extensive area of upland grass to steep hill land. The extensive college buildings lie at the foot of Nant y Garth.

PARTICULARS & PLANS

OF THE

LLŶSFASI ESTATE

AND

PENYGAER FARM,

Near RUTHIN,

To be SOLD BY AUCTION in 15 LOTS, at the

CASTLE HOTEL, RUTHIN,

On Tuesday, 7th September, 1909,

At Three o'clock.

Catalogue of Sale

AND ALSO OF THE

FOXHALL ESTATE,

DENBIGH,

TO BE

SOLD BY AUCTION IN ONE OR NINE LOTS,

AT THE

BULL HOTEL, DENBIGH,

On Thursday, 9th September, 1909,

At Three o'clock.

LONGUEVILLE & CO.,
Solicitors,
Oswestry.

FRANK LLOYD & SONS,
Auctioneers,
Wrexham, Crewe, &c.

HANES CYNNAR LLYSFASI A'I WERTHU GAN STAD CASTELL RHUTHUN

EARLY HISTORY OF LLYSFASI AND ITS SALE BY THE RUTHIN CASTLE ESTATE

*Y*mchwiliwyd i, a chofnodwyd hanes cynnar Llysfasi - o 1282 i 1920 - yn fedrus iawn gan y diweddar D. S. Edwards (neu D.S. fel y'i adnabyddid yn annwyl gan staff a chenedlaethau o fyfyrwyr), Pennaeth Sefydliad Ffermio Llysfasi rhwng 1943 ac 1967. Mae 'D.S.' yn awgrymu bod yr enw gwreiddiol 'Llys Llannerch' wedi dod yn ffurf ar Llysfasi pan gafodd ei brydlesu i berson â'r cyfenw 'Massey'. Mae'r cyfenw Normanaidd 'Mascii' yn ymddangos yn Rholiau Llys Rhuthun yn 1294-96, union saith gan mlynedd yn ôl, pan fu i 'Mascii' gyda chrydd o'r enw Peter weithredu fel gwystlon mewn achos o ddyled. Mae nodyn a ychwanegwyd at gyfeiriad at Llysfasi yn 'Adroddiad y Comisiwn Brenhinol ar Henebion yn Sir Ddinbych' , yr ymwelwyd ag ef ym mis Medi 1911, yn nodi bod y fersiwn Saesneg 'Massey's Court' , sef Llys Masi neu 'Llysfassi' yn y Gymraeg, wedi cael ei ffurfio pan fu i un o ddisgynyddion i deulu Massi neu Massey, un o ddilynwyr de Grey Rhuthun, adeiladu'r plasty.

*T*he early history of Llysfasi - from 1282 to 1920 - was very ably researched and documented by the late D.S. Edwards (or 'D.S.' as he was affectionately known by staff and generations of students), Principal of Llysfasi Farm Institute from 1943 to 1967. 'D.S.' suggests that the original name 'Llys Llannerch' became a form of Llysfasi after it was leased to a 'Massey'. A derivation of the Norman surname 'Mascii' appears in the Ruthin Court Rolls of 1294-96, exactly seven hundred years ago, when 'Mascii' with a cobbler named Peter acted as pledges in a case of debt. A note added to a reference to Llysfasi in the ' The Report of the Royal Commission of Ancient Monuments in Denbighshire', which was visited in September 1911, states that the English version 'Massey's Court' (Llys Masi or 'Llysfassi'), was made when a descendant of Massi or Massey, one of the followers of de Grey of Ruthin, built the mansion.

Mr Hugh Jones

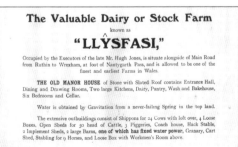

The Valuable Dairy or Stock Farm

known as

"LLŶSFASI,"

Occupied by the Executors of the late Mr. Hugh Jones, is situate alongside of Main Road from Ruthin to Wrexham, at foot of Nantygarth Pass, and is allowed to be one of the finest and earliest Farms in Wales.

THE OLD MANOR HOUSE of Stone with Slated Roof contains Entrance Hall, Dining and Drawing Rooms, Two large Kitchens, Dairy, Pantry, Wash and Bakehouse, Six Bedrooms and Cellar.

Water is obtained by Gravitation from a never-failing Spring in the top land.

The extensive outbuildings consist of Shippons for 24 Cows with loft over, 4 Loose Boxes, Open Sheds for 50 head of Cattle, 3 Piggeries, Coach house, Hack Stable, 2 Implement Sheds, 2 large Barns, one of which has fixed water power, Granary, Cart Shed, Stabling for 9 Horses, and Loose Box with Workmen's Room above.

3

Lot 3

Am gyfnod o 277 o flynyddoedd o 1633 tan amser yr arwerthiant yn 1909, arwerthiant a gynhaliwyd yn sgîl anawsterau ariannol, roedd ym meddiant Teulu Myddelton o'r Waun a'u disgynyddion, y Wests ac yna, yn olaf, Cornwallis-Wests Castell Rhuthun.

Mae Manylion a Chynlluniau arwerthiant stad Llysfasi (y dudalen gyntaf â llun) yn dangos Lot 3 fel Llysfasi ei hun.

Y tenant diwethaf ar Lysfasi oedd gŵr o'r enw Mr Hugh Jones fu'n ffermio Ty'n-y-Caeau, Rhewl cyn hynny, gŵr gweddw gyda phump o blant, a dau ohonynt yn ieuainc iawn. Bu farw yn 1907; felly, pan gynhaliwyd yr arwerthiant, roedd y denantiaeth yn nwylo ei ysgutorion.

Prynwyd y stad, oedd oddeutu 500 erw, am swm o £13680 gan Mr Charles William Sandles a rhoddwyd ei gyfeiriad fel Great Sutton, Swydd Gaer a Fferm Sinet, Llanfair Dyffryn Clwyd. Bum niwrnod wedi'r arwerthiant, rhoddodd Sandles ddeuddeg mis o rybudd i'r ysgutorion adael. Bu'r teulu, sef y mab hynaf John Edmund Jones (oedd ond tua 18/19 oed ar y pryd), ei chwaer Janie, a'i frodyr Hugh Maurice, Elias Clwyd a Berwyn yn ffodus iawn o dderbyn tenantiaeth Fferm Gelligynan. Mae wyres Hugh Jones, Mrs Mary Edmund Beech a'i gŵr yn parhau i ffermio Gelligynan. Mae wyrion a wyresau a

For a period of 277 years from 1633 until the time of sale in 1909, brought about by financial difficulties, it was in the possession of the Myddelton Family of Chirk and their descendants, the Wests and finally the Cornwallis-Wests of Ruthin Castle.

The Particulars and Plans (first page illustrated) of the sale of the Llysfasi estate show Lot 3 as being that of Llysfasi itself.

The last tenant of Llysfasi was a Mr. Hugh Jones who had previously farmed at Tyn-y-Caeau, Rhewl, a widower with five children, two of whom were very young. He had died in 1907; so, at the time of the sale, the tenancy was in the hands of his executors.

The estate, of around 500 acres, was bought for the sum of £13680 by Mr. Charles William Sandles whose address was given as Great Sutton, Cheshire and of Sinet Farm, Llanfair Dyffryn Clwyd. Five days after the sale, Sandles gave the executors twelve months notice to quit. The family, being the eldest son John Edmund Jones (who was only about 18 / 19 years old at the time), sister Janie, brothers Hugh Maurice, Elias Clwyd and Berwyn were very fortunate in obtaining the tenancy of Gelligynan Farm. Hugh Jones' granddaughter, Mrs. Mary Edmunds

gorwyrion a gorwyresau eraill Hugh Jones hefyd yn ffermwyr, yn ardal Llanarmon-yn-lâl a Llanbedr yn bennaf.

Gwnaeth Sandles, y perchennog newydd, gynlluniau i sefydlu Llysfasi fel Coleg Amaethyddol. Gwerthodd Fferm Sinet ym mis Gorffennaf 1910 a symudodd i Lysfasi cyn gynted ag y gallai wneud hynny'n gyfreithiol. Ei fwriad oedd hyfforddi dynion ieuainc ar gyfer ffermio yn y wlad hon a thramor. Mae cymryd golwg fanwl ar y prospectws sy'n nodi y byddai'r tymor cyntaf yn dechrau mor gynnar â Ionawr 1af 1911, yn ymddangos fel pe bai'n dynodi bod y pwyslais i fod ar y dynion ieuainc hynny oedd yn bwriadu gweithio yn y Colonïau neu'r Trofannau. Mae rhai lluniau o'r rheolwr fferm a gyflogwyd gan Sandles, dyn oedd yn ei alw ei hun yn J. H. Lowrie (Bronco Jack), cyn-bencampwr laswïo o Wyoming, UDA, yn cryfhau'r amheuaeth hon. Cafodd yr enw Llysfasi ei newid i 'Valley Farm' hyd yn oed. Er bod Llysfasi'n gorwedd yng nghanol prydferthwch Dyffryn Clwyd, mae'r enw 'Valley Farm' yn swnio i'r awdur fel pe bai rhyw arlliw o'r 'Gorllewin Gwyllt' yn perthyn iddo.

Ni wyddir os cafodd y fenter arfaethedig hon ei gwireddu ai peidio. Yr hyn a wyddir yw bod Sandles, fel perchnogion blaenorol y stad, yn ymddangos fel pe bai'n cael anawsterau ariannol. Fis Mawrth 1911, dim ond tri mis wedi ei dyddiad agor arfaethedig fel

Beech and her husband still farm Gelligynan. Hugh Jones' other grand and great grandchildren are also farmers mainly in the Llanarmon-yn-lâl and Llanbedr area.

Sandles, the new owner, made plans to establish Llysfasi as an Agricultural College. He sold Sinet Farm in July 1910 and moved to Llysfasi as soon as he was legally able to do so. His intention was to train young men for farming at home and abroad. A perusal of the prospectus which stated that the first term would start as early as January 1st 1911 seems to indicate that the emphasis was to be on those young men who intended to work in the Colonies or Tropics. Some photographs of the farm manager brought in by Sandles, a man calling himself J. H. Lowrie (Bronco Jack) an ex-champion lassoer of Wyoming USA strengthens this suspicion. Even the name Llysfasi was change to 'Valley Farm'. Although Llysfasi lies at the head of the lovely Vale of Clwyd, the name 'Valley Farm' seems to the author to have a hint of the 'Wild West' about it.

It is not known whether this proposed venture actually became fact. What is known is that Sandles seems, like the previous owners of the estate, to have been in some financial difficulty. In March 1911, only three months after its proposed opening date as a Farm

Mr J.H. Lowrie (Bronco Jack)

Mr J.H. Lowrie (Bronco Jack)

Ysgol Ffermio, rhoddwyd 'Valley Farm' ar y farchnad unwaith eto. Y tro hwn, fe'i prynwyd gan ŵr o'r enw Mr R. W. Brown, gwerthwr cotwm o Benbedw, a ddechreuodd foderneiddio'r hen blasty ar unwaith a rhoi'r fenter ffermio yn ôl ar ei thraed.

School, ' Valley Farm', was again placed on the market. This time, it was purchased by a Mr R.W. Brown, a cotton broker of Birkenhead, who quickly began modernising the old mansion and putting the farming venture back on its feet.

An early picture of Llysfasi

'LLYSFASI MANOR FARM'

Dan awdurdod Mr Brown, dechreuwyd ailddefnyddio'r enw Llysfasi, ac mae wedi parhau felly byth er hynny. Parhaodd Mr Brown â'i gynlluniau i sefydlu'r fferm fel sefydliad amaethyddol addysgiadol, gan ei hysbysebu fel 'Llysfasi Manor Farm School'. Bwriad yr enw crand, yn rhannol, oedd ei gwneud yn fwy deniadol i'r cwsmeriaid arfaethedig. Roedd yna feibion i rieni oedd wedi gallu eu haddysgu mewn ysgolion preifat. Fel Rheolwr Fferm, daeth Mr Brown â gŵr o'r enw Mr Haydon gydag ef, ac roedd ganddo brofiad helaeth o'r diwydiant. Yn ôl y prospectws newydd, roedd Mr a Mrs Haydon yn byw yn y Manor House gyda'r disgyblion ac roedd Mr Haydon yn siarad ac yn gweithio gyda'i ddisgyblion drwy'r dydd ac yn "gwneud yr holl drefniadau ac yn gofalu am bopeth".

Under Mr Brown, the name reverted to Llysfasi, as it has been known ever since. Mr. Brown continued with the plans to establish the farm as an agricultural educational establishment advertising it as the 'Llysfasi Manor Farm School'. The grand sounding name was, in part, to make it more attractive to his proposed clientele. There were the sons of parents who had been able to educate them in private schools. As Farm Manager, Mr Brown brought with him a Mr. Haydon, who had extensive experience of the industry. According to the new prospectus, Mr and Mrs Haydon lived at the Manor House with the pupils and Mr. Haydon taught and worked with his pupils all day and "makes all the arrangements and looks after everything".

Llysfasi refurbished

Roedd y tŷ wedi cael ei atgyweirio a'i foderneiddio'n llwyr ac yn ôl y prospectws:

"Cyn belled ag y mae glanweithdra a chyfleusterau angenrheidiol yn y cwestiwn. Mae wedi cael ei ail-doi a'i ailblastro drwyddo; mae ffenestri mwy wedi cael eu gosod yn lle'r hen rai lle roedd angen; mae planhigion dringo hynafol wedi ildio eu lle i sment ar y tu allan, ac mae'r adeilad cyfan wedi cael ei wneud yn sych, yn olau ac yn awyrog".

Cadarnheir yr honiad ynghylch y ffenestri a'r planhigion dringo hynafol gan y lluniau.

Mae'n ymddangos bod y rhan nesaf o'r prospectws wedi'i anelu at famau disgyblion arfaethedig gan ei fod yn mynd yn ei flaen fel a ganlyn:

"Mae cronfa ddŵr â gorchudd arni sydd wedi'i llenwi o ffynnon naturiol sy'n treiddio i fyny drwy dywod ac sy'n ddiogel rhag unrhyw bosibilrwydd o lygredd, wedi cael ei chreu yn uchel i fyny ar ochr y mynydd, ac mae'n rhoi cyflenwad dihysbydd o ddŵr pur, dan bwysedd uchel, i bob rhan o'r adeilad. Yn ychwanegol at yr ystafell ymolchi, ceir ystafell newid fawr gyda dau fath a bath cawod.

Mae system gyflawn ac effeithlon o ddraenio wedi cael ei gosod, ac ni fu unrhyw dorri'n ôl ar y gwario a'r gwaith o wnaed er mwyn sicrhau bod y tŷ yn gwbl iach a llesol".

The house had been thoroughly overhauled and modernised and according to the prospectus:

"So far as sanitation and necessary conveniences are concerned. It has been re-roofed and re-plastered throughout; larger windows have replaced the old ones wherever necessary; ancient creepers given place to cement on the outside, and the whole fabric has been made dry, light and airy".

The claim regarding the windows and the ancient creepers are confirmed by the photographs.

The next part of the prospectus seems to have been aimed at the mothers of proposed pupils as it continued:

"A covered reservoir filled from a natural spring which filters up through sand and is safe from all possibility of contamination, has been made high up on the hillside, and gives an inexhaustible supply of pure water, under high pressure, to every part of the building. Besides the bathroom, there is a large changing room with two baths and shower bath.

A complete and efficient system of drainage has been installed, and neither expense nor trouble has been spared to make the house thoroughly healthy and wholesome".

Sefydliad Ffermio Llysfasi -
Y Deng Mlynedd Cyntaf

Llysfasi Farm Institute -
The First Ten Years

Roedd Llywodraeth y dydd yn ymwybodol iawn o'r graddau yr oedd y diwydiant amaethyddol wedi cael ei esgeuluso yn ystod pedair blynedd y rhyfel byd cyntaf ac roedd yn benderfynol o ddysgu o brofiad ac o gymryd camau positif i wneud iawn am y sefyllfa. Yn fuan wedi diwedd y Rhyfel Byd Cyntaf, dosbarthodd y Weinyddiaeth Amaeth Gynllun ar Addysg Amaethyddol i'w ystyried gan Awdurdodau Lleol Lloegr a Chymru ac addawodd grantiau i'r cyrff hynny fyddai'n ei weithredu. Roedd Awdurdod Addysg Sir Ddinbych mewn cydweithrediad â Sir y Fflint ac Adran Amaeth Coleg Prifysgol Gogledd Cymru ym Mangor, yn ystod yr un cyfnod ag y bu Mr Brown yn targedu sector yr ysgolion preifat am fyfyrwyr, eisoes wedi bod yn weithredol iawn ym maes addysg amaethyddol. Roedd Trefnydd Addysg Amaethyddol mewn bodolaeth, sef Mr Isaac Jones o

The Government of the day was very aware of the extent to which the agricultural industry had been neglected during the four years of the first world war and was determined to learn from the experience and take positive steps to remedy the situation. Shortly after the end of the First World War, the Ministry of Agriculture circulated a Scheme on Agricultural Education for the consideration of Local Authorities in England and Wales and promised grants to those bodies that put it into operation. Denbighshire Education Authority in conjunction with Flintshire and the Agriculture Department of the University College of North Wales at Bangor, over the same years as Mr. Brown has been targeting the private school sector for students, had already been very active in the field of agricultural education. An Organiser of Agricultural Education, with an office at Rhyl, in the person of

Fadryn yn Sir Gaernarfon, gyda swyddfa yn Y Rhyl. Roedd ganddo staff o sawl athro rhan-amser, oedd yn rhoi darlithoedd gyda'r nos ar Amaethyddiaeth, Llaethyddiaeth, Cadw Ieir a phynciau cysylltiedig mewn lleoliadau ledled y ddwy Sir. Er enghraifft, bu Ysgol Laeth yn Fferm Neuadd Llewenni ers 1906 a Gorsaf Ddeori ym Mrwcws ers 1917. Roedd pedair Ysgol Gaws Gydweithredol mewn bodolaeth hefyd. Anogwyd y gymuned ffermio leol i fynychu'r rhain drwy gyfrwng yr hen Gynghorau Plwyf a'r Cynghorwyr Sir.

Nid yw'n syndod, felly, pan ddaeth cyfle i brynu fferm fyddai'n gweithredu fel canolbwynt ar gyfer cyflwyno addysg o'r fath, y manteisiwyd ar y cyfle i brynu Llysfasi. Prynwyd Llysfasi, oedd oddeutu 587 erw erbyn hyn, gan Mr Brown ym mis Tachwedd 1919 gan Gyngor Sir Ddinbych am y swm o £19500 gyda chymeradwyaeth a grant ariannol gan y Weinyddiaeth Amaeth. Mae'n rhaid crybwyll wrth fynd heibio bod rhai aelodau o'r Pwyllgor Amaeth wedi ffafrio prynu eiddo arall - Fferm Lodge, Dinbych - yn hytrach na Llysfasi. Un o'r manteision o brynu Llysfasi o'i gymharu â ffermydd eraill oedd ar gael oedd yr ystyriaeth ddyngarol nad oedd raid i unrhyw denant presennol gael ei hel oddi yno.

Mr. Isaac Jones from Madryn in Caernarvonshire, was in post. He had a staff of several part-time teachers, who gave evening lectures on Agriculture, Dairying, Poultry Keeping and related topics at locations spread through both Counties. For instance there had been a Dairy School at Llewenni Hall Farm since 1906 and an Incubating Station at Brookhouse since 1917. Four Co-operative Cheese Schools were also in existence. The local farming community were encouraged to attend through the old Parish Councils and County Councillors.

It is not surprising, therefore, when the opportunity came for a farm to be bought which would act as a central point from which to deliver such education, that the opportunity to purchase Llysfasi was taken. Llysfasi, now of some 587 acres, was purchased from Mr. Brown in November 1919 by the Denbighshire County Council for the sum of £19500 with the approval of, and with a monetary grant from the Ministry of Agriculture. It must be mentioned in passing that some members of the Agriculture Committee had previously favoured the purchase of an alternate property - Lodge Farm, Denbigh - in preference to Llysfasi. One of the benefits of purchasing Llysfasi compared with other farms which may have been available was the humanitarian consideration that any existing tenant would not have to be displaced.

Mr & Mrs Isaac Jones

Un o'r dyletswyddau cyntaf oedd raid i Bwyllgor Amaeth y Cyngor Sir, oedd yn cyfarfod yn y 'Queen Hotel' yng Nghaer, ei wynebu ar ôl prynu Llysfasi oedd penodi Pennaeth. Roedd hwn yn fater hawdd o bosibl gan i Mr Isaac Jones gael ei benodi ym mis Rhagfyr 1919 ar gyflog o £450 y flwyddyn a dechreuodd ar ei waith ar Ddydd Gŵyl Dewi 1920. Ar yr un pryd, roedd i barhau fel y Trefnydd Amaeth Sirol ac am hyn byddai'n derbyn ei dreuliau personol a chostau teithio. Penodwyd Mrs Isaac Jones fel Metron am £100 y flwyddyn. Roedd Mr a Mrs Jones i ddefnyddio rhan o'r tŷ at eu dibenion eu hunain heb dalu rhent ac roeddynt i gael eu bwyd a thanwydd. Fodd bynnag, roedd rhaid iddynt ddodrefnu eu man byw eu hunain. Parhaodd Mr Isaac Jones yn y swydd tan 1943.

Roedd yr ychydig fisoedd nesaf yn mynd i fod yn rhai prysur eithriadol. Roedd rhaid moderneiddio'r tŷ ymhellach, roedd rhaid penodi staff ar gyfer cyrsiau'r fferm a'r ysgol ynghyd â threfnu'r ffioedd oedd i'w codi. Nid oedd unrhyw ystafelloedd arbenigol ar gael ar gyfer dosbarthiadau ffurfiol ond oherwydd y teimlwyd bod sied wartheg newydd Mr Brown yn anymarferol, gwnaed cynlluniau i'w rhannu yn adran addysgol, yn llaethdy, yn labordy ac yn adran glerigol y Sefydliad.

One of the first duties which the Agricultural Committee of the County Council, which held most of its meetings at the 'Queen Hotel', Chester had to face after purchase, was the appointment of Principal. This was possibly an easy matter as Mr. Isaac Jones was appointed in December 1919 at a salary of £450 per annum and took up office on St. David's Day 1920. At the same time he was to continue as County Agricultural Organiser and for this would be paid his personal and travelling expenses. Mrs. Isaac Jones was appointed as Matron at £100 per annum. Mr and Mrs Jones were to be allowed to use part of the manor house for their own purposes free of rent and be allowed board and fuel. However, they did have to furnish their own living quarters. Mr. Isaac Jones was to remain in office until 1943.

The next few months were to be extremely busy ones. The house had to be modernised still further, staff had to be engaged for both the farm and school and courses together with the fees to be charged had to be arranged. No specialist rooms were available for formal classes but as Mr. Brown's new cow byre was found to be impracticable, plans were drawn to divide it into an educational section, a dairy, a laboratory and the clerical department of the Institute.

Roedd rhaid derbyn cymeradwyaeth y Weinyddiaeth Amaeth i hyn i gyd fel bod y Coleg yn gallu derbyn statws Sefydliad Ffermio. Mae Adroddiadau a Chofnodion Amaethyddol (Cyfrol 1) Awdurdod Addysg Sir Ddinbych o 1920 yn datgelu hyd a dyfnder y trafodaethau ar y pryd.

Mae taflen gan y Weinyddiaeth Amaeth a Physgodfeydd gyda'r dyddiad Awst 1923 arni, yn rhoi manylion am y Sefydliadau Ffermio cydnabyddedig ledled y wlad, roedd naw ohonynt yn Lloegr a thri yng Nghymru. Roedd y rhai yng Nghymru ar y pryd, ac eithrio Llysfasi, yn Ysgol Ffermio Castell Madryn, Pwllheli ac ym Mrynbuga, Sir Fynwy. Roedd y daflen yn nodi mai prif ddiben cwrs mewn Sefydliad Ffermio oedd darparu cyfarwyddyd yn yr egwyddorion gwyddonol sy'n sail i arfer amaethyddol gadarn a bod y cyfarwyddyd yn ymarferol drwyddo draw. Roedd y cyrsiau a ddisgrifiwyd ar gyfer Llysfasi fel a nodir isod:

(a) Cwrs hydref mewn Amaethyddiaeth ar gyfer dynion (8 wythnos), Hydref i Ragfyr.

(b) Cwrs gaeaf mewn Amaethyddiaeth ar gyfer dynion (8 wythnos), Ionawr i Fawrth.

(c) Cwrs gwanwyn mewn Llaethyddiaeth, Garddwriaeth a Chadw ieir ar gyfer merched (8 wythnos), Ebrill i Fehefin.

All this required the approval of the Ministry of Agriculture so that the College could gain the status of a Farm Institute. The Denbighshire Education Authority Agricultural Reports and Minutes (Volume 1) of 1920 reveals the depth and breadth of discussion at that time.

A Ministry of Agriculture and Fisheries Information leaflet dated August 1923 details the recognised Farm Institutes throughout the country, nine of which were in England and three in Wales. The ones in Wales, apart from Llysfasi, were, at that time, at Madryn Castle Farm School, Pwllheli and at Usk in Monmouthshire. The leaflet stated that the main purpose of a Farm Institute course was to provide instruction in the scientific principles underlying sound agricultural practice and that the instruction was a thoroughly practical one. The courses described for Llysfasi are as below:

(a) Autumn Course in Agriculture for men (8 weeks), October to December.

(b) Winter Course in Agriculture for men (8 weeks), January to March.

(c) Spring Course in Dairying, Horticulture and Poultry keeping for women (8 weeks), April to June.

(ch) Cwrs haf mewn Llaethyddiaeth ar
    gyfer merched (8 wythnos),
    Gorffennaf i Awst.

Dewisiwyd dyddiadau a hyd y tymhorau
fel nad oeddynt yn tarfu gormod ar y
ffermwyr oedd yn gorfod rhyddhau eu
meibion a'u merched ar gyfer y cyrsiau
oedd ar gael. Penderfynwyd ar gyrsiau
ar wahân o wyth wythnos fel bod y
myfyrwyr wedi cael o leiaf un tymor o
addysg bellach yn hytrach na 'run o
gwbl pe cyfyd unrhyw broblem.

Pan ddaeth yn amser agoriad swyddogol
yr adeilad newydd, nid yw'n syndod o
bosibl mai Prif Ymgynghorydd y
Weinyddiaeth Amaeth gyflawnodd y dasg
bleserus hon, sef Syr Daniel Hall KCB.

Un penodiad y bu'n rhaid ei wneud yn
eithaf cyflym oedd penodi Pen-Hwsmon
i'r Fferm. Yn eu cyfarfod ar Ionawr
30ain 1920, roedd rhaid i'r Pwyllgor
ystyried ceisiadau gan ddim llai na
THRIGAIN o ddynion. O blith y rhain,
bu iddynt lunio rhestr fer o chwech. Yn
eu plith roedd Mr John Strang a oedd,
ar y pryd, yn ben-hwsmon i Mr Brown.
Ni fu'n llwyddiannus yn ei ymgais ond
cafodd swydd pen-hwsmon y fferm dros
dro hyd nes oedd yr ymgeisydd
llwyddiannus, gŵr o'r enw Mr R.
Foulkes-Thomas o Lansilin, yn gallu
dechrau ar ei waith ym mis Chwefror
1920. Fis Mawrth 1920, cafodd Miss
Annie M. Davies o'r Rhyl, a oedd eisoes
yn un o Hyfforddwyr 'teithiol' (fel y'u

(d) Summer Course in Dairying for
    women (8 weeks), July to August.

The dates and length of terms were
chosen as being the least disruptive for
the farmers who would have to release
their sons and daughters for the
courses on offer. Separate courses of
eight weeks were decided upon so
that, if there were any problems, at
least one term of further education
would have been gained by the
students rather than none at all.

When the time arrived for the official
opening of the new buildings it is
possibly not surprising that the task
was given to Sir Daniel Hall KCB - the
Chief Adviser to the Minister of
Agriculture.

One appointment which had to be
finalised quite quickly was that of Farm
Bailiff. At their meeting on January
30th 1920 the Committee had to
consider applications from no fewer
than SIXTY men. From these they
drew up a short list of six. Among
them was a Mr. John Strang who was,
at the time, farm bailiff for Mr. Brown.
He was not successful in his
application although he was given the
post of acting farm bailiff until the
successful appointee, a Mr. R. Foulkes -
Thomas from Llansilin, was able to
take over in February 1920. In March
1920, Miss Annie M. Davies from Rhyl,
already one of Denbighshire's

Llysfasi Cottages

gelwid) Sir Ddinbych, ei phenodi'n Uwch-Hyfforddwraig mewn Llaethyddiaeth. Penodwyd Miss Agnes Sybil Price o Sir Frycheiniog fel ei chynorthwy-ydd a Mr John Roberts o Borthaethwy fel Hyfforddwr Garddwriaethol. Fis Awst, penodwyd hyfforddwr arall, sef Mr John Davies o Dregaron, fel Hyfforddwr Gwyddoniaeth Cyffredinol.

Roedd yr aelodau yma o staff i fyw yn y prif adeilad ac ym mythynnod Llysfasi nad oeddynt wedi'u codi ers talwm iawn. Goruchwyliwyd preswylwyr yr 'hostel' yn y prif adeilad gan y Metron, a chyflogwyd howscipar yn y bythynnod. Roedd yr Hyfforddwr Garddwriaethol yn byw yn un o'r bythynnod. Pan symudodd oddi yno yn 1926, gosodwyd brics yn lle'r drysau mewnol oedd yn cysylltu pob bwthyn er mwyn eu gwneud yn breifat. Adeiladwyd dau dŷ arall, sef 'Bronant' a 'Llysmair' rhwng y Bythynnod a'r ffordd fawr erbyn 1928. Preswylwyr cyntaf y rhain oedd y pen-hwsmon, a symudodd o Rif 1, a Mr Charles Roberts, yr Hyfforddwr Garddwriaethol newydd.

Aeth popeth yn ei flaen yn hwylus a bu i Mr Isaac Jones allu dweud wrth gyfarfod o Bwyllgor 'Llysfasi Manor Farm House' a gynhaliwyd yn 'Sefydliad Ffermio Llysfasi' ar 31ain Mawrth, 1920, y byddai'r cwrs cyntaf, 'Ysgol Laethyddiaeth' i enethod, yn agor ar ddydd Llun Mai 10fed 1920.

'travelling' Instructresses, as they were then known, was appointed as Senior Instructress in Dairying. Miss Agnes Sybil Price from Breconshire was appointed as her assistant and Mr. John Roberts of Menai Bridge as Horticultural Instructor. In August, a further instructor, Mr. John Davies from Tregaron was appointed as General Science Instructor.

These members of staff were to live at the main building and at Llysfasi cottages which had not long been built. The occupants of the 'hostel' in the main building were supervised by the matron while at the cottages a housekeeper was employed. One of the cottages was occupied by the Horticulture Instructor. When he moved out in 1926, the interconnecting doors between the four cottages were bricked up internally to make them private. Two other houses, 'Bronant' and 'Llysmair' were built between the Cottages and main road by 1928. The first occupants of these were the bailiff, who moved out of No.1, and Mr. Charles Roberts, the new Horticultural Instructor.

All went well and Mr. Isaac Jones was able to report to the 'Llysfasi Manor Farm House' Committee held at the 'Llysfasi Farm Institute' on 31st March, 1920 that the first course, a 'Dairy School' for girls would be opened on Monday May 10th 1920.

Top Row: Lizzie Jane, Principal Isaac Jones, Hilda Beech, Susie Kate Roberts, Phyllis Rogers, The Farm Manager, Ellen Hughes and Doris Williams. Sitting: Jane Owen, Mrs Pierce Evans, Lecturer Miss Davies, Catherine Evans, Kate Hughes.

Yn ôl atgofion dwy wraig, Mrs E. Hughes, Plas Tirion, Rhuthun a Mrs Doris Jones, Abbeyfield House, Rhuthun, roedd yn ymddangos bod Isaac Jones yn ei rôl fel Trefnydd wedi trefnu un o'i Ysgolion Llaethyddiaeth, a hynny fel arbrawf efallai ac mewn cydweithrediad â Mr Brown yn Llysfasi, cyn iddo gael ei gydnabod fel Sefydliad Ffermio a derbyn ei fyfyrwyr 'swyddogol' cyntaf. Roedd y genethod ar y cwrs hwn, y gwelir eu lluniau yn y llun grŵp isod, i gyd yn dod o ardal leol Pentrecelyn. Mae'n ymddangos bod y cwrs hwn yn cael ei redeg ar sail debyg i'r 'sail rhyddhau am ddiwrnod' sy'n gyffredin heddiw, gan ryddhau'r genethod o'u ffermydd.

Mae'r cofrestri a gadwyd yn y Coleg a Chofnodion y Cyngor Sir yn dangos bod 12 o enethod, yn amrywio o 15 i 20 oed, wedi cofrestru ar gyfer y cwrs cyntaf ar Fai 10fed 1920. Roedd naw o'r genethod yn dod o ardaloedd oddi mewn i'r Sir gyda'r lleill o Sir y Fflint. Dechreuodd y cwrs cyntaf i ddynion, oedd yn cynnwys cyn-filwyr, y mis Hydref canlynol gyda 17 o aelodau. Roedd tri ar ddeg o'r rhain, yn cynnwys un myfyriwr dydd sef George Lecomber, cyn-filwr, mab i Faer Rhuthun bryd hynny ac aelod o Bwyllgor Amaethyddol Llysfasi (daeth ei frawd Eric yn fyfyriwr dydd hefyd yn Ionawr 1923), yn dod o Sir Ddinbych a phedwar o Sir y Fflint. Ac felly y dechreuodd y cyfnod llwyddiannus yn hanes Llysfasi fel sefydliad addysgol 'swyddogol' ym maes amaethyddiaeth.

From the reminiscences of two ladies, Mrs E. Hughes of Plas Tirion, Ruthin and Mrs Doris Jones, Abbeyfield House, Ruthin, Isaac Jones in his role as Organiser seems to have arranged one of his Dairy Schools, possibly as a trial run and in conjunction with Mr. Brown at Llysfasi before it became recognised as a Farm Institute and had its first 'official' students. All the girls on this course, the group photograph which is seen below, were from the local area of Pentrecelyn. It appears that this course was run on a similar basis to the now very common 'day release basis' from their home farms.

Registers kept at the College and County Council Minutes show that on May 10th 1920, 12 girls, ranging in age from 15 to 20 years old registered for the first course. Nine of the girls came from within County with the others from Flintshire. The first course for men, which included ex-servicemen, began the following October with 17 enrolments. Thirteen of these, including one day student, George Lecomber, an ex-serviceman, the son of the then Mayor of Ruthin and a member of Llysfasi's Agriculture Committee (his brother Eric also became a day student in January 1923) came from Denbighshire and four from Flintshire. Thus began a successful period in the history of Llysfasi as an 'official' educational establishment in the field of agriculture.

Llysfasi students 1920

First male students at Llysfasi 1921

Gwnaed llawer iawn o waith yn datblygu hen adeiladau'r fferm ac yn codi rhai newydd. Gosodwyd gardd gyda thai gwydr a sied botio blodau ar dir lle saif hostel 'newydd' y myfyrwyr yn awr a pherllan gyda chychod gwenyn ac ystafell storio afalau ar dir gyferbyn â'r bythynnod. Mewn amser, codwyd uned ieir arbenigol rhwng y bythynnod a chroesffordd Llysfasi.

Yn 1920, sefydlwyd praidd cofrestredig o Ddefaid Mynydd Cymreig Pedigri, pan brynwyd oen maharen Snowdon a phump o ŵyn benyw o Fferm Coleg Prifysgol Gogledd Cymru yn Aber. Bu'r Athro R. G. White o gymorth eithriadol i Awdurdod Addysg Sir Ddinbych pan fu'n cynnal ei ddosbarthiadau peripatetig a pharhaodd y berthynas agos hon wrth sefydlu ei Sefydliad Ffermio. Flwyddyn yn ddiweddarach yn 1921, prynwyd maharen Bryncwnin a chwech o ŵyn benyw gan Mr J. L. Gratton. Rhwng hynny a 1951, ychydig iawn o waed o'r tu allan a gyflwynwyd i'r praidd, ac eithrio meheryn. Gwaned llawer o fridio o linach a bu hyn o gymorth i sefydlu math unffurf o ddafad gyda chydffurfiad da a chorff taclus o faint canolig. Rhoddwyd cryn bwysigrwydd ar ansawdd cnu da; cafwyd gwlân mân, trwchus, oedd yn gadarn i gydio ynddo ac yn gwarchod y ddafad yn ddigonol. Enillwyd llawer o wobrau dros y blynyddoedd yn sioeau enwocaf y wlad, yn cynnwys y Sioeau Brenhinol a'r Smithfield.

Much work was carried out to develop the old farm buildings and to erect new ones. A garden with greenhouses and potting shed was set out on land on which now stands the 'new' students' hostel and orchard with beehives and an apple storage room on land opposite to the cottages. In time, a specialist poultry unit was erected between the cottages and the Llysfasi crossroads.

In 1920, a registered flock of Pedigree Welsh Mountain Sheep was founded, when a Snowdon ram lamb and five ewe lambs were purchased from the University of North Wales' College Farm at Aber. Professor R.G. White had been extremely helpful to the Denbighshire Education Authority while they held their peripatetic classes and this close association continued on the establishment of its Farm Institute. A year later in 1921, a Bryncwnin ram and six ewe lams were bought from Mr. J.L. Gratton. Between then and 1951 very little outside blood, with the exception of rams, was introduced. Much line breeding was practiced and this helped to fix a uniform type of sheep with good conformation and a compact body of moderate size. Considerable importance was attached to good quality in the fleece; a fine thick wool, firm to handle and giving adequate protection to the sheep, was obtained. Many prizes were won over the years at the country's most prestigious shows, including the Royals and at Smithfield.

William Christmas Williams, Llwyn Derw, Pandy Tudur, a student in 1921, now aged 93.

Cynhaliwyd ' golchiad blynyddol' yn Llysfasi pryd y cariwyd y defaid i gyd allan i'r afon ger y bythynnod. Rhoddwyd gwyriad ar ffrwd y felin drwy lifddor yng ngwaelod Nant y Garth, a blociwyd y llif o ddŵr gan fordiau a osodwyd yn erbyn sylfeini'r bont. Wedi cwblhau'r broses, gwahoddwyd ffermwyr lleol eraill, yr oedd perthynas waith agos â hwy, i ddod â'u defaid i'w golchi.

Roedd y Pennaeth yn credu bod cofnodion manwl gywir o Gyfrifon Stoc, y Cyfrif Granar a Chyfrifon Cnydio'r Caeau yn agwedd bwysig ar weithredu'r Sefydliad. Hyd nes y penodwyd Mr Arthur Ellis Jones, cyn-fyfyriwr, yn 1929 am gyflog wythnosol dechreuol o £2.5s.Od (£2.25 i'r anghyfarwydd!), dyfalu a wnaed wrth lunio'r cofnodion i gyd.

Mae Mr Gwilym Hywel Jones o Bryn Rhydd, Rhuthun, yn garedig iawn wedi anfon llythyr atom gan gyflwyno ei Atgofion o Lysfasi - 1927. Mae'r rhain yn atgofion am ddigwyddiadau sydd wedi aros yn y cof, o safbwynt y myfyrwyr, am bron i saith deg mlynedd, ac o'r herwydd fe'u hystyrir yn ddigon pwysig i'w dyfynnu.

"Fel myfyriwr yn Llysfasi yn 1927 ac wedi cyrraedd oedran teg erbyn y flwyddyn 1996 rwy'n croniclo ychydig o ddigwyddiadau yn ystod y ddau dymor y bûm yn mynychu'r Coleg, o Ionawr i Fawrth a Hydref i Ragfyr, y mis Hydref oedd y cyntaf. Roedd rhaid i fyfyrwyr Sir

The annual 'sheep wash' of the whole flock was carried out in the stream by the cottages. The millstream was diverted through a sluice at the bottom of the Nant y Garth, the flow of water was blocked by boards placed against the bridge supports. When the process was complete, other local farmers, with whom there was a close working relationship, were invited to bring their sheep for washing.

The Principal considered that accurate records of Stock Accounts, the Granary Account and Field Cropping Accounts were an important aspect of the Institute's function. Until Mr. Arthur Ellis Jones, an old student, was appointed in 1929 at an initial weekly wage of £2.5s.Od (£2.25 to the uninitiated!), records had been a matter of guesswork.

Mr. Gwilym Hywel Jones, of Bryn Rhydd, Ruthin has kindly sent in a letter giving his Memories of Llysfasi - 1927. These are memories of events which have stayed in the mind, from the students standpoint, for nearly seventy years, and as such are considered of sufficient importance to quote.

"As a student of Llysfasi in 1927 and having reached a fair age in the year 1996 I chronicle a few incidents over the two terms I attended, January to March and October to December, the

G.H. Jones, John Emlyn Williams, Piers Norbury, Edward Davies, Tegid Jones, Leigh Wrench.

y Fflint dalu ffi fechan - wedi cofrestru yn y Swyddfa gyda'r Pennaeth Isaac Jones oedd yn bresennol. Roedd yn ŵr teg a chyfiawn - rwy'n hoffi ei ddisgrifio fel y dyn iawn i'r job. Roedd yn cael ei adnabod gan lawer fel 'Y Tywysog', ac yn arbennig gan Sam Price, rhyw fath o adeiladydd jobio, oedd yn barod i wneud pob math o dasgau yn amrywio o ofalu am gar y Tywysog, Daimler, i roi llawr ar daflod yn ymyl y Llaethdy. Roedd ganddo atal dweud ac roedd yn lisbio. Rwy'n cofio'n dda fel y bu myfyriwr arall a mi yn gosod llawr newydd, swydd ddiddorol, gan daro hoelion mewn llawr newydd ar ôl eu gwasgu gyda'i gilydd a Sam yn siarad pymtheg y dwsin ac yn dweud bod y Tywysog yn dweud hyn a'r Tywysog yn dweud llall. Yn ddiarwybod i ni roedd y Pennaeth wedi dod i mewn i'r ystafell islaw a gwaeddodd ar Sam Price "Pwy ydi'r Tywysog yr wyt ti'n siarad amdano?" "O!" meddai Sam, "Y... y... Tywysog Cymru, dyn yr wyf yn ei adnabod" atebodd gan lisbio a chydag atal dweud. Daethai Sam i Llys ar ei foto beic Triumph, ei ddifyrrwch pennaf.

Mr J. H. Humphries oedd yn dysgu amaethyddiaeth yn gyffredinol i ni, darlithydd da, ond ychydig yn rhy gyflym i ni allu ei ddilyn gyda nodiadau. Roedd un myfyriwr, Samuels o'r Orsedd Goch, yn 'printio' ei nodiadau, gwaith taclus a neis. Gallai brintio'n gyflymach nag y gallem ni ysgrifennu. Roeddem yn gweithio ar y fferm yn y bore ac yna'n

October was the first. Flintshire students had to pay a small fee - having registered at the Office with the Principal Isaac Jones in attendance. He was a fair and just man - I like to describe him as a man cut out for the job. Known to many as 'The Prince', especially to Sam Price, a kind of jobbing builder, ready to do all kinds of jobs from caring for the Prince's car, a Daimler, to flooring an upper loft adjacent to the Dairy. He stuttered and had a lisp. I well remember I and another student putting in a new floor, an interesting job, knocking nails in a new floor after clamping them together and Sam talking away and saying the Prince this and the Prince that. Unknown to us the Principal had come into the lower room and shouted to Sam Price "Who is this Prince you're taking about?" "Oh," said Sam, "The - the - Prince of Wales, a man I know" he answered lisping and stuttering. He (Sam) came to Llys on a Triumph motor bike, his pride and joy.

Mr J. H. Humphries took us in agriculture in general, a good lecturer, a bit fast for us to follow with notes. One student, Samuels from Rossett, 'printed' his notes, neat nice work. He could print quicker than we could write. We worked on the farm in the morning and lectures in the afternoon and night.

cael darlithoedd yn y prynhawn a'r nos. Un problem oedd yn wynebu'r pen-hwsmon, Mr Roberts, lawer bore oedd cael hyd i swyddi addas i bob un ohonom, byddai pedwar yn godro pedair buwch yr un. Byrgorn a Duon Cymreig oedd y fuches. Wrth odro, cymerwyd gofal arbennig gyda glendid, gan olchi a sychu'r pyrsiau a godro i fwced â gorchudd arno. Cymerwyd profion a phennwyd marciau ar gyfer llaeth glân - mor wahanol i'r stori honno am y ddau frawd yn godro buchod, ac Arolygydd Iechyd yn dod yno ac yn cael hyd i'r hogiau'n godro mewn amgylchiadau a dillad budron. Rhoddodd ffrae i'r cyntaf am fod â dwylo budron, ac wrth yr ail dywedodd 'Mae eich dwylo chi'n lanach'. 'Ydyn', atebodd y brawd, 'Mi ddaru mi eu golchi yn y llaeth!!'.

Rwy'n cofio'n dda amdanaf i a thri myfyriwr arall yn y Llaethdy yn gwneud menyn. Miss Inglis oedd yr athrawes a Miss Margaret Davies fel cynorthwy-ydd. Roedd yn waith cystadleuol iawn cael y graen gorau yn y fuddai. Gwaetha'r modd, ffrwydrodd caead fy muddai i yn agored a chollwyd llaeth a menyn ar hyd y llawr ym mhob man - sôn am lanast. Bu'n rhaid i mi ei lanhau i sŵn sylwadau brathog Miss Inglis oedd yn pwysleisio fy niofalwch.

Y diwrnod canlynol, cafodd Piers Norbury y fuddai hon a digwyddodd yr un peth eto - ond ni chafodd ef ffrae a hynny efallai am ei fod yn llawer hŷn na mi ac yn un o ffefrynnau Miss Inglis. Gadawyd y fuddai yn sefyll yn y gornel am weddill ein cwrs!!

A problem faced the bailiff, Mr. Roberts, many mornings was finding suitable jobs for every one, four would be milking four cows each. The herd was Shorthorn and Welsh Black. In milking, special care was taken about cleanliness, washing and drying udders, milking into a covered pail. Tests were taken and marks allotted for clean milk - so different to that story of two brothers milking cows, a Health Inspector came along and found the lads milking in dirty surroundings and apparel. To the first he told him off for having dirty hands, to the second he said 'Your hands are cleaner.' 'Yes', the brother answered, 'I washed them in the milk!!'.

I well remember myself and three other students in the Dairy making butter. Miss Inglis was the teacher and Miss Margaret Davies as assistant. It was very competitive work with us for the best grain in the churn. Unfortunately, the lid of my churn burst open and milk and butter spilt all over the floor - a real right mess. I had to clean it up with scathing remarks from Miss Inglis who emphasised my carelessness.

The following day this churn was allotted to Piers Norbury and behold the same thing happened again - he was not scolded as maybe he was much older than myself and was in favour with Miss Inglis. The churn for

Un fantais oedd bod yn berchen ar feic. Roeddem yn arfer mynd i'r sinema yn Rhuthun ar nos Sadyrnau, a hefyd gallem fynd adref ar benwythnosau - roedd yn siwrnai bell i'm cartref i yn Nhreffynnon ac i ddychwelyd weithiau byddai fy nhad yn dod â mi cyn belled â Dinbych. 'Rugby Durant' oedd y car gyda bwrdd rhedeg y clymwyd y beic iddo. Mae gen i gof o ffermwyr yn dod i'r Mart gyda chŵn yn eistedd ar y bwrdd rhedeg ac fe allech eu gweld yn cwmanu ac yn pwyso'n erbyn y drws ar y troeau a'r corneli.

Trefnwyd nifer o deithiau bws ar ein cyfer. Un i Ellsmere Port i ymweld â'r gwaith sebon, ac un arall i Blas Einion i weld y fferm a'r stoc. Rwy'n credu bod y ffermwr, Mr John Roberts, yn cadw buches odro ac yn croesi'r buchod gyda tharw Aberdeen Angus ar gyfer cynhyrchu bîff. Roedd yno lyn mawr ac fe welsom y gwaith cynhyrchu trydan, rhywbeth yn debyg i'r un yn Llysfasi. Cafwyd trip arall i weld stabl o Geffylau Gwedd gan Mr Teddy Parry ym Metws-yn-Rhos.

Y Pennaeth oedd yn rhoi darlithoedd bridio da byw i ni, gyda sylwadau megis ' mae tebyg yn cynhyrchu'i debyg, ond eto mae'r amgylchedd yn effeithio ar fridio'. Cafodd buwch Ddu Gymreig lo gwyn wedi i'r beudy gael ei wyngalchu!!

the rest of our course was left standing in the corner!!

One advantage was the possession of a bicycle. We used to go to the cinema at Ruthin on Saturday nights, also we could go home at weekends - it was a fair way to my home at Holywell to return; sometimes my father would bring me as far as Denbigh. The car was a 'Rugby Durant' with a running board on which the bike was strapped. A memory I have of farmers coming to the Auction Mart with dogs sitting on the running board and you see them crouching and pressing against the door on the bends and corners.

A number of trips were arranged for us by coach. One to Ellesmere Port to visit the soap works, another to Plas Einion to see the farm and stock. I believe the farmer, Mr. John Roberts, kept a milking herd and crossed the cows with an Aberdeen Angus bull for beef production. There was a large lake there and we saw the electric generating plant, something similar to the one at Llysfasi. Another trip was to view a stud of Shire Horses, at Mr. Teddy Parry in Betws yn Rhos.

The Principal took us in livestock breeding, with remarks such as 'like produces like, yet the environment affects breeding'. A Welsh Black cow had a white calf after the shippon was whitewashed!!

Un swydd ddiddorol yr oeddem yn ei gwneud oedd trin gwrychoedd, nid yn unig gosod gwrychoedd ond adeiladu'r clawdd, torrwyd tyweirch trwchus allan o'r cae ac adeiladwyd y clawdd. Roedd yn newydd i mi. Rwy'n cofio'n dda mynd i fyny i'r mynydd i dorri rhedyn gyda phladuriau; roedd gennym gi defaid gyda ni ac roedd yn rhedeg ar ôl y cwningod - bu i ni ddal dwy a mynd â hwy i'r siop ym Mhentrecelyn a chael 6d yr un - digon i gael dau baced o sigarets Craven A. Cawsom wersi milfeddygol gan Mr Wynne, milfeddyg Dinbych a ddeuai unwaith bob pythefnos. Un swydd a wnaethom gyda John Perry oedd mynd gyda cheffyl a chert i nôl llwyth o gerrig o'r afon i fyny Nant y Garth ar gyfer gwneud gardd gerrig yn yr ardd. Mr Charles Roberts oedd yn dysgu garddio i ni - dyn neis a medrus iawn a darlithydd da. Roedd bob amser yn gwisgo'n eithriadol o drwsiadus mewn llodrau a legins, gyda'r legins wedi'u sgleinio'n lân. Roedd yn fychan o ran maint, gyda'i lodrau wedi'u torri'n dda ac eithriadol."

Mae Mr Hywel Jones yn terfynu'i atgofion gyda'r geiriau, "Yn ddiamau, bu i fy mhrofiad i o Lys roi gwybodaeth i mi am amaethyddiaeth. Bûm yn ffermio Isglan ym mhlwyf Chwitffordd yn sir y Fflint am 52 o flynyddoedd gyda Buches TT. Fi oedd y cyntaf i weithredu a chontractio gyda Chombein Cynaeafu Massey, gan chwistrellu cnydau hefyd. Roedd gennym rownd laeth, ac roeddem yn mynd â photeli a chartons o amgylch, a hefyd rownd datws, ac rydym wedi ymddeol i Ruthun yn awr ers 1986".

One interesting job we did was hedging, not only was the hedge laid but the bank was built up, a thick sod of turf was cut out of the field and the bank was built up. It was new to me. I well remember going up to the mountain to cut the bracken with scythes; we had a sheepdog with us and he chased the rabbits - we caught two and took them to the shop at Pentrecelyn and had 6d each - enough for two packet of Craven A cigarettes. We had veterinary lessons from Mr. Wynne, the vet from Denbigh who came once a fortnight. One job we did with John Perry we went with horse and cart for a load of stones from the river up Nant y Garth for a rockery in the garden. Mr. Charles Roberts taught us gardening - a very nice and able man, a good lecturer. He always dressed immaculately in breeches and leggings, the leggings being well polished. He was small in size, his breeches well cut and outstanding."

Mr. Hywel Jones finishes his narrative with the words, "My experience of Llys no doubt gave me a knowledge of agriculture. I farmed for 52 years at Isglan in the parish of Whitford in the county of Flint with a TT Herd. I was the first to operate and contract with a Massey Combine Harvester, also spraying crops. We had a milk round, bottles and carton delivery, also a good potato round and now retired to Ruthin since 1986".

Llysfasi - 1930 tan Flynyddoedd y Rhyfel

Llysfasi - 1930 until the War Years

Spring Term 1930
Top Row: Mair Davies, Myfanwy Lloyd, D.
Gwenda Evans, Rosina Davies, Annie Thomas,
Vera Watson, Joyce Caldecott, Hilda Hopley,
Muriel Roberts, Emily Richards, Gwen Copper.
Second Row: Ethel Edwards, Mary E. Jones,
Rhiannon Lewis, Rebecca Jones, Margaret
Jones, Ceinwen Roberts, Bertha May Price,
Megan Evans, Annie Stubbs, Mary Eliz. Evans.
Third Row: M.E. Davies, A. Davies, L.C.S. Ross,
S. Jones, Principal & Mrs Jones, J.H.
Humphreys, E.M. Lloyd, Myfanwy Davies.
Bottom Row: Kate M. Roberts, Morfydd Jones,
Jane Eliz. Davies, Mair Roberts, Edith Williams,
Morfydd Evans, Eluned Foulkes, Menna
Davies, Doris Augustina Evans.

Daeth Mr T. E. Roberts yn Ben-Hwsmon y Fferm ac yn Arddangoswr ym mis Hydref 1921 ac ar yr un pryd daeth ei wraig yn howscipar yn y bythynnod lle roeddynt yn byw. Parhaodd yn y swydd ar amser pwysig iawn ym mywyd y Sefydliad. Roedd y glwyd gyntaf wedi'i goresgyn ac roedd datblygiad y Sefydliad o amser ei benodiad tan ei ymddeoliad ar Fawrth 31ain 1960 wedi 39 mlynedd yn ddyledus iawn i'r arweiniad a roddai ef i'r gweithwyr fferm ac i'r cydweithrediad agos a fodolai rhwng y Pennaeth a'r Darlithwyr. Un o'i ddyletswyddau oedd paratoi adroddiad chwarterol i'w ystyried gan Bwyllgor Ffermio'r Cyngor Sir. Mae'n ddiddorol iawn darllen un o'i adroddiadau bron i drigain mlynedd yn ôl sef yr adroddiad ar y cyfnod rhwng Hydref y 6ed a Rhagfyr y 31ain 1937.

Mr T.E. Roberts became Farm Bailiff and Demonstrator in October 1921 and at that time his wife became housekeeper of the cottages where they lived. He remained in post at a very important time in the life of the Institute. The first hurdle had been crossed and the development of the Institute from the time of his appointment until he retired on March 31st 1960 after 39 years owed much to his leadership of the farm workers and the close co-operation he developed between the Principals and the Lecturers. One of his duties was to prepare a quarterly report for the consideration of the Farm Committee of the County Council. One of his reports of nearly sixty years ago, that of the period October 6th to December 31st 1937 makes interesting reading.

"Gwaith Trin"

Trin ac ogedu 7 erw ar ôl eu sgim-aredig ar gyfer gwenith. Cario tail fferm ar 3 erw a hanner a chwalu yr un fath ar gyfer gwenith.

Chwarter aredig 7 erw ar gyfer gwenith.

Codi tri chwarter erw o datws.

Codi a chario 2 erw a hanner o fangolds.

Cario tail fferm a chwalu yr un fath ar 8 erw o laswelltir.

Cario tail fferm a chwalu yr un fath ar 6 erw o wreiddlysiau.

Sgim-aredig 20 erw o sofl.

Aredig 4 erw ar gyfer ceirch.

Dyrnu ŷd am dridiau.

Codi a chario 5 erw o rwdan.

Clirio ffosydd - Gorsedd.

Torri a chario 7 llwyth o redyn.

Plannu 3050 o goed yn Ffridd Tŷ-Draw, Bryn Gorlan.

Gwneud ffens newydd o amgylch y coed a blannwyd.

Tacluso gwrychoedd y Groesffordd, Ffordd Goch a Ffordd Berth.

Torri coed a'u llifio ar gyfer y fferm a llifio coed tân ar gyfer y Sefydliad.

Y gwobrau a enillwyd yn Sioe Smithfield Rhagfyr 6ed 1937

2il o £5 a 4ydd o £3 am y gorlan orau o 3 oen myllt o'r brid Cymraeg a aned yn 1937.

2il o £5 am y gorlan orau o 3 dafad fyllt o'r brid Cymraeg a aned yn 1936.

Ail i'r Pencampwr - y gorlan orau o Ddefaid Mynydd Cymreig.

Y wobr 1af o £10 ac 2il o £5 am y gorlan orau o 2 fochyn o fridiau Cymreig.

1af o £5 - y ddafad fyllt orau o unrhyw frid gwlân hir neu fynydd a aned yn 1936 - dosbarth carcas.

"Cultivations"

Cultivating and harrowing 7 acres after skim ploughing for wheat. Carting farmyard manure on $3^1/_2$ acres and spreading same for wheat.

$^1/_4$ Ploughing 7 acres for wheat.

Lifting $^3/_4$ acre of Potatoes.

Lifting and carting 2 $^1/_2$ acres mangels.

Carting farmyard manure and spreading same on 8 acres of grassland.

Carting farmyard manure and spreading same on 6 acres of rootcrop

Skim ploughing 20 acres stubble

Ploughing 4 acres for oats

Thrashing corn for 3 days

Lifting and carting 5 acres swedes

Clearing ditches - Gorsedd

Cutting and carting 7 loads of ferns

Planting 3050 trees in Ffridd Ty-Draw, Bryn Gorlan

Making new fence around plantation

Trimming hedges Cross Road, Ffordd Goch and Berth Road

Felling timber, sawing same for farm, sawing firewood for Institute

Prizes won at Smithfield Show December 6th 1937

2nd of £5 and 4th of £3 for the best pen of 3 wether lambs of the Welsh breed born in 1937.

2nd of £5 for best pen of 3 wether sheep of the Welsh breed born in 1936.

Reserve - best pen of Welsh Mountain sheep.

1st prize of £10 and 2nd of £5 for best pen of 2 pigs of Welsh breed.

1st of £5 - best wether sheep of any long wooled or mountain breed born in 1936 - Carcass class.

Mr Tom Roberts, Farm Bailif with Prize Bull

Roedd Mr Isaac Jones yn Bennaeth cyntaf delfrydol. Roedd yn ymfalchïo yn ei Lysfasi 'ef' ac roedd yn addysgwr ac yn ddyn cysylltiadau cyhoeddus penigamp. Roedd anifeiliaid Llysfasi, yn ddefaid ac yn warteg ac yn foch yn cael eu gosod mewn safle uchel yn rheolaidd ym mhrif sioeau'r wlad, ac roedd ef yn mynd ati'n bersonol i hyfforddi grwpiau o fyfyrwyr mewn barnu stoc a phrynodd y Sefydliad babell fel bod modd codi standiau o natur addysgol.

Ymhlith uchafbwyntiau'r cyfnod, ar wahân i'r hyn a grybwyllwyd yn adroddiad y pen-hwsmon uchod, roedd llwyddiant tîm 1934 Llysfasi a enillodd y frwydr yn erbyn deuddeg o dimau barnu stoc eraill yn Sioe Laeth Llundain. Bu un o'r tri sydd yn y llun, sef Mr I orwerth Jones, o Dy'n Llanfair bryd hynny ac yn ddiweddarach o Fferm Pool Park, Rhuthun, yn Llywodraethwr y Sefydliad am ugain mlynedd.

Rhag i'r bechgyn gael y sylw i gyd, ymhlith y genethod, bu i Miss Menna Williams yn 1935, yn 17 mlwydd oed, gael ei dyfarnu nid yn unig yn Bencampwraig Odro dan 18 oed ond hefyd yn Bencampwraig Odro Sioe Laeth Llundain allan o fwy na phedwar ugain o gystadleuwyr yn y gystadleuaeth agored.

Mr. Isaac Jones was an ideal first Principal. He took great pride in 'his' Llysfasi and was an ideal educationalist and public relations man. Llysfasi's animals, sheep, cows and pigs were regularly highly placed in the country's premier shows, he personally trained groups of students in stock judging and the Institute purchased a marquee so that stands of an educational nature could be set up.

Among the highlights of the period, apart from that mentioned in the bailiff's report above, was the success of Llysfasi's 1934 team that led the field against twelve others for stock judging at the London Dairy Show. One of the three in the photograph, Mr Iorweth Jones, then of Ty'n Llanfair, and later of Pool Park Farm, Ruthin, was a Governor of the Institute for twenty years.

Not to be outdone, amongst the girls, Miss Menna Williams in 1935, at 17 years of age, became not only Champion Milker under 18 years but also the London Dairy Show Champion Milker out of over eighty competitors in the open competition.

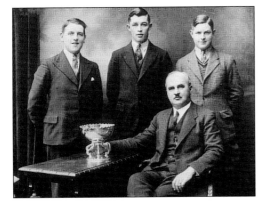

Winning Stock Judging Team 1934.
T.J. Williams, Abbey Farm, Rhuddlan.
Iorwerth Jones, Ty'n Llanfair. Glyn Evans,
Ebual Lodge Chirk. Isaac Jones, Principal.

1937-38 Students.

Top Row: H. Baines J. Wrench, J.W. Jones, G.P. Evans, D.W. Owen, C.J. Pugh, J. Hanna, R.T. Roberts, I. Owen, Ll. Sides, W.T. Roberts.

Second Row: E.C. Jones, T.A. Jones, E. Morris, J. Parry Jones, Wm. Jones, J.E. Jones, J.H. Rogers, G. Jones, G.V. Williams, H. Edwards, T.E. Ellis, R.O. Lewis.

Third Row: Nancy Parry, T.St. J. Parry, Joan Phillips, Mr. D.S. Edwards, Miss M.E. Davies, The Principal, Miss A. Davies, Mr D.T. Davies, Miss M.J. Thomas, W.T. Roberts, M. Evans.

Bottom Row: J. Lloyd, T. Jones, Glyn Jones, H.D. Edwards, Rd. W. Parry Jones, Emyr Roberts, W. Hugh Evans, D.R. Griffiths.

1938

Top Row: Ieuan Owen, Rhiannon Davies, D. Edwards, Edythe Roberts, Morwena Jones, Irene Griffiths, Margaret Parry, M. Dutton, Gwenda Jones, Nellie Roberts, L.K. Hughes, M. Jones, M. Lloyd.

Standing Centre: Miss Menna Williams, 1935 London Dairy Show Champion Milker

Second Row: Eric Morris, A.J. Price, C. Pierce, Pritchard, D. Huxley, Megan Jones, M. Williams, M. Evans, Doris Williams, Norah Roberts, Sallie Roberts, Catherine Owens, Ed.C. Jones.

Third Row: Mr D.T. Davies, Miss M.J. Thomas, Mr A.W. Jones, Miss A. Davies, The Principal, Miss M.E. Davies, Mr. D.S. Edwards, Miss C.E. Lloyd, Mr C. Roberts, Miss Margaret Garmon.

Bottom Row: Hilda Davies, Charlotte Davies, M. Nanney Evans, Irene Edwards, Bessie Roberts, Catherine Rowlands, Menna Owen, Mair Roberts.

Pan ddaeth yn Rhyfel ym mis Medi 1939, cafodd effaith ar Lysfasi ar unwaith oherwydd trosglwyddwyd y rhan fwyaf o'r staff, yn cynnwys y Pennaeth, i gyflawni dyletswyddau gyda Phwyllgor Amaethyddol Gweithredol y Rhyfel yn Sir Ddinbych.

When war broke out in September 1939 it had an immediate effect on Llysfasi as most of the staff, including the Principal, were seconded for duties with the Denbighshire War Agricultural Executive Committee.

Llysfasi - Yr Ail Ryfel Byd

Llysfasi - The Second World War

Cyd-darodd dechrau tymor yr hydref 1939 â'r Rhyfel a dorrodd allan ac felly cafodd ei ganslo ar unwaith. Fel y digwyddodd pethau, ailddechreuwyd y cwrs i ddynion gyda chwrs Amaethyddol byrrach ar gyfer y gaeaf o Ionawr 22ain tan Mawrth 16eg 1940 ac yna cwrs Llaethyddiaeth a leir i ferched yn y gwanwyn o Ebrill 29ain tan Mehefin 22ain 1940. Roedd y rhain i fod yn gyrsiau olaf y Sefydliad hyd nes y deuai'r Rhyfel i ben. Mae cyn-fyfyriwr arall, Mr Raymond Beech o Fryn Carrog, Rhuthun, yn un sy'n cofio'r digwyddiadau hyn ac mae wedi ysgrifennu am ei brofiadau fel myfyriwr yn y cyfnod hwn. Mae ei lythyr ef unwaith eto'n llawn gwybodaeth, gan adlewyrchu'r effaith gafodd y Rhyfel ar amaethyddiaeth, ac yn arbennig ar y datblygiadau oedd yn digwydd yn Llysfasi o'u cymharu â deng mlynedd ynghynt. Dyfynnir darnau o'r llythyr:

The start of the Autumn term of 1939 coincided with the outbreak of the War and it was immediately cancelled. In the event the men's course was re-instated with a shorter Winter Agricultural course from January 22nd to March 16th 1940 followed by a Spring Dairy and Poultry Course for women from April 29th to June 22nd 1940. These were to be the last until the War ended. Another old student, Mr Raymond Beech, of Bryn Carrog, Rhuddlan, was one who was caught up with these events and has written about his experiences as a student of the time. His letter again is very informative, reflecting as it does on the effect the War had on agriculture, and in particular the developments which were taking place at Llysfasi compared with ten years earlier. Extracts from the letter are quoted:

"Byrgorn oedd y brid ac wrth gwrs, roeddynt yn cael eu godro â llaw er bod yna beiriannau bwced oedd yn cael eu defnyddio gan y staff i odro yn ystod y gwyliau.

Roedd ieir yn chwarae rhan bwysig iawn o fywyd y Coleg. Roedd gennym gewyll batri yn y dyddiau hynny. Cadwyd yr haid bridio ar y mynydd - (sef tir uwchlaw Rhewl Isaf fu'n rhan o dyddyn a adnabuwyd fel Bryn Gorlan) - oedd yn golygu taith ar droed ddwywaith y dydd i fwydo a chasglu wyau gan fod gan gorlannau'r ieir nythod trap i gofnodi. Cafwyd gaeaf caled iawn yn 1940 ac nid oedd modd symud o Lysfasi am dros wythnos ac roedd mynd i fyny i fwydo'r adar fel mynd ar daith i Siberia.

Roedd yno un Fordson (bach) a thractor Allis Chalmers cnwd rhes, gan fod yr aredig i gyd yn cael ei wneud â cheffylau. Gallaf gofio dysgu aredig ar gae galswellt y tu ôl i'r Coleg wrth i fwy o dir gael ei drin ar gyfer y Rhyfel.

Roedd Llysfasi'n cynhyrchu ei drydan ei hun ac roedd yna system o geblau a phwlïau o'r fflodiart ar draws y briffordd - (yn yr hen felin) - oedd yn gorfod cael ei weindio'n agored cyn tanio'r injian.

Roedd gennym system ddeiet gyflawn yn y dyddiau hynny hefyd. Roedd y gwellt i gyd yn mynd drwy'r cibler, ac yn cael ei wlychu gyda thriogl a dŵr, ac yna ychwanegwyd ato geirch wedi'u gwasgu,

"Shorthorns were the breed and of course were milked by hand although there were bucket machines which were used to milk by the staff in the holidays.

Poultry played a big part in the College. We had battery cages in those days. The breeding flock was kept on the mountain - (this was on land above Rhewl Isaf and had been part of the small holding known as Bryn Gorlan) - which meant a twice daily walk to feed and collect eggs as the poultry pens had trap nests to record. The winter of 1940 was very severe and Llysfasi was cut off for over a week and going up to feed the birds was like a trip to Siberia.

There was one Fordson (bach) and an Allis Chalmers row crop tractor, as all the ploughing was done with horses. I can remember learning to plough on a grass field behind the college as more land was brought into cultivation for the War.

Llysfasi generated its own electricity and there was a system of cables and pulleys from the sluice gate across the main road - (at the old mill) - which had to be wound open before the motors were started.

We had a complete diet system in those days even. All the straw went through the chaff cutter, damped down

rwdan wedi'u torri'n ddarnau a chec oedd yn dod mewn slabiau ac yn gorfod cael eu rhoi drwy'r malwr. Roedd y gymysgedd hon i gyd yn cael ei throi deirgwaith gyda rhaw. Wedyn, roedd yn cael ei gario i'r gwartheg mewn basgedi gwiail hirgrwn."

Mae Mr Beech yn mynd yn ei flaen i egluro sut roedd y math cyntaf o silwair yn cael ei wneud:

"Hon oedd y flwyddyn gyntaf i silwair gael ei wneud yn Llysfasi. Roedd yn cynnwys panelau rhwyllog weld wedi'u huno â'i gilydd i ffurfio cylch gyda diametr o tua 20 troedfedd ac uchder o tua chwe troedfedd gyda deunydd dal dŵr. Wedyn, roedd y glaswellt aeddfed yn cael ei lwytho ar gert gyda llaw a'i ddadlwytho i'r silo lle roedd yn cael ei ysgwyd ac yna gwasgarwyd triogl a dŵr ar bob haen gyda chan dyfrio. Wedi llenwi'r adran gyntaf, roedd adran arall yn cael ei gosod gan roi uchder gorffenedig o oddeutu deuddeg troedfedd oedd yn cael ei selio wedyn. Yn ffodus, nid oeddwn yno y gaeaf canlynol i weld y cynnyrch gorffenedig. (Gyda llaw, roedd pob haen yn cael ei chywasgu drwy gael y myfyrwyr i gerdded o amgylch y pit).

Roedd Tymor yr Haf, wrth gwrs, yn cael ei neilltuo'n arbennig ar gyfer llaetha ac roedd yn cael ei fynychu gan nifer ychwanegol o fyfyrwyr benywaidd oedd yn dysgu gwneud menyn a chaws dan hyfforddiant Miss Davies."

with treacle and water, to which was added crushed oats, chopped swedes and cake which came in slabs and had to be put through the crusher. All this was turned three times with a shovel. It was then carried to the cattle in oval shaped wicker baskets."

Mr. Beech goes on to explain how the first type of silage was made:

"It was the first year that silage was made at Llysfasi. It consisted of weld mesh panels joined together to form a circle about 20 feet in diameter and about six foot high with a waterproof material. The mature grass was then loaded on to a cart by hand and then unloaded into the silo where it was shaken and molasses and water sprinkled on to each layer with a watering can. After the first section was filled, another section was fitted giving a finished height of about twelve feet which was then sealed. Fortunately, I was not there the following winter to see the end result. (By the way, each layer was consolidated by the students walking around the pit).

The Summer Term was, of course, devoted to dairying and was attended by an additional number of female students learning butter and cheese making under the tuition of Miss Davies."

Yna, mae Mr Beech yn crybwyll dyfodiad "Y Fyddin Dir i Ferched". Defnyddiwyd Llysfasi am gyfnod yn y 1940au fel safle ar gyfer hyfforddi'r merched ieuainc hyn. Mae Mr Beech yn mynd yn ei flaen:

"Cyd-darodd y tymor hwn hefyd â dyfodiad oddeutu ugain o recriwtiaid y Fyddin Dir i Ferched, rhai ohonynt yn syth o'r dinasoedd ac heb weld buwch erioed o'r blaen mae'n bur debyg, ar gyfer cwrs dwys, byr cyn eu gyrru allan i weithio ar ffermydd. Anghofia i fyth mo wyneb yr hen ben-hwsmon pan ddaeth un ohonynt oedd yn edrych fel model ffasiwn o Lundain i chwalu tail gan wisgo menyg!! - rhywbeth na chlywyd sôn amdano yn y dyddiau hynny!!

Felly mwyaf sydyn, roedd nifer y merched yn Llys yn dipyn uwch na nifer y dynion. (Biti garw. Dim ond 15 oed oeddwn i).

Er y bydd hyn yn swnio'n gyntefig i fyfyrwyr heddiw, bu i ni ddysgu llawer o wybodaeth nad oedd ar gael i'r ffermwr cyffredin ar y pryd. Botaneg, cemeg, strwythur priddoedd, amrywiaethau hadau ac wrth gwrs, hwn oedd y cyfnod pan oedd yr amrywiaethau 'S' newydd yn cael eu bridio yn Aberystwyth, oedd yn gwneud cymaint i wella'r cnydau glaswellt a grawn yn ystod y rhyfel ac yn cynorthwyo i fwydo'r wlad oedd, tan y Rhyfel, wedi dod i ddibynnu ar fwyd a fewnforiwyd wrth i'r economi amaethyddol lithro i ddirwasgiad".

Mr. Beech then mentions the arrival of "The Women's Land Army". Llysfasi for a time in the 1940s was used as a base for training these young ladies. Mr. Beech continued:

"This term also coincided with the arrival of about twenty Women's Land Army recruits, some straight from the cities and probably who had never seen a cow before, for a crash course before sending them out to work on farms. I shall never forget the old bailiff's face when one of them who looked like a London fashion model, turned up to spread manure wearing gloves!! - unheard of in those days!!

So the male population in Llys suddenly became outnumbered. (What a pity. I was only 15).

Although this will all sound very primitive to the modern day student, we gained a lot of knowledge which was not available to the ordinary farmer at the time. Botany, chemistry, soil structure, seed varieties and of course this was the time when the new 'S' varieties were being bred at Aberystwyth, which did such a lot to improve grass and cereal yields during the war and helped to feed the country which until the War had become reliant on imported food as the agricultural industry slid into recession."

Land Army and Staff

Parhaodd Mr Isaac Jones tan 1943, pan fu i'w ddirprwy, Mr D. S. Edwards, gymryd yr awennau ganddo fel Pennaeth a Swyddog Gweithredol.

Er i gyrsiau Sefydliadau Ffermio gael eu gohirio, roedd llawer o weithgarwch yn dal i ddigwydd. Fodd bynnag, yr oedd hi'n rhyfel. Sefydlwyd uned o fath 'Gwarchodlu Cartref' a grwpiwyd y gweithwyr yn dimau o ddau i gadw gwyliadwraeth gydol y nos, a hynny yn bennaf rhag y posibilrwydd o daro'r fferm â bomiau cyneuol. Ofnwyd y byddai adeiladau'r fferm oedd wedi'u gwyngalchu yn gallu denu bomwyr y gelyn ar nosweithiau golau lleuad. Gan nad oedd dociau Lerpwl a Phenbedw ymhell i ffwrdd, roedd pryder hefyd y byddai bomwyr y gelyn yn gollwng eu llwythi weithiau i allu dianc rhag ein hymladdwyr yn yr awyr.

Parhawyd ag addysg. Cynhaliwyd nifer o gyrsiau Sefydliad y Merched. Roedd y cyrsiau ar halltu cig mochyn yn arbennig o boblogaidd. Trefnwyd cyrsiau eraill ar 'Botelu Ffrwythau', 'Rhoi Ffrwythau mewn Tuniau' a 'Sychu Llysiau'. Oherwydd yr Ymgyrch 'Palu er Buddugoliaeth", roedd galw mawr am yr Hyfforddwr Garddwriaethol ledled y Sir. Bu i'w waith gyda'r 'Cymdeithasau Cynnyrch Gardd ac Alotmentau' a'r dosbarthiadau a drefnodd ar eu cyfer, godi llawer o arian a aeth tuag at gronfeydd Mudiad y Groes Goch. I goffáu

Mr. Isaac Jones remained until 1943, when his deputy, Mr. D.S. Edwards took over, as Principal and Executive Officer.

Although Farm Institute courses were suspended, much still went on. However a war was on. A 'Home Guard' type unit was set up and the workers were grouped in teams of two to be on all night vigils, mainly against the possibility of the farm being hit by incendiary bombs. It was feared that the farm buildings being white washed could attract enemy bombers on moonlit nights. As the docks of Liverpool and Birkenhead were not far away, there was also the fear that enemy bombers would sometimes drop their loads to escape from our air fighters.

Education continued. Many Women's Institute courses were held. Especially popular were those on bacon curing. Other courses were arranged for 'Fruit Bottling', 'Fruit Canning' and the 'Drying of Vegetables.' Due to the 'Dig for Victory' Campaign, the Horticultural Instructor was much in demand throughout the County. His work with 'Garden Produce and Allotment Associations' and the classes which he organised for them raised a great deal of money which went towards the funds of the Red Cross. To commemorate this, a plaque was erected in the woods at the base

hyn, codwyd plac yn y coed yn ngwaelod Nant y Garth, ger cyffordd Ffordd Wrecsam gyda Ffordd Goch.

Dewisiodd adran Filfeddygol y Weinyddiaeth Amaeth Lysfasi fel un o'i Chanolfannau Ffrwythloni Artiffisial arbrofol cyntaf. Cymerodd beth amser i'r cynllun gael ei fabwysiadu gan ffermwyr lleol ac ni allodd Mr D. S. Edwards gyhoeddi bod ail darw wedi cael ei brynu ar gyfer y cynllun tan y cyfarfod o'r Pwyllgor Amaethyddol a gynhaliwyd fis Mawrth 1944.

Yn 1941, sefydlwyd Ysgol Gynradd Dechnegol yn Llysfasi gyda Mr R. E. Vaughan Roberts yn Bennaeth arni. Roedd Mr Vaughan Roberts wedi bod yn Bennaeth ar Ysgol Llanarmon-yn-Iâl ers 1920. Roedd ei ysgol yn Llysfasi yn ysgol arbrofol i ddarparu cwrs dwy flynedd o addysg uwchradd gyffredinol i blant 13 oed gyda thuedd amaethyddol. Tra oedd yn Llysfasi, cynhaliodd lawer o ymchwil breifat i wyfynod. Ni chydnabuwyd ei allu yn y maes hwn nes iddo adael Llysfasi, ac yn ystod ei ymddeoliad, daeth yn aelod parhaol o banel y rhaglen natur Gymraeg, 'Byd Natur', ac yn cadw cwmni iddo, ymhlith eraill, roedd yr Athro enwog ym maes Botaneg Amaethyddol ym Mangor, yr Athro R. Alun Roberts. Roedd cynlluniau ar droed yn 1945 i wneud yr ysgol yn nodwedd barhaol o Lysfasi. Dywedodd

of Nant Y Garth, near the junction of the Wrexham Road with Ffordd Goch.

The Veterinary section of the Ministry of Agriculture chose Llysfasi as one of their first experimental Artificial Insemination Centres. It took some time for the scheme to be adopted by local farmers and it was not until an Agriculture Committee meeting in March 1944 that Mr. D.S. Edwards was able to report that a second bull had been purchased for the scheme.

In 1941, a Junior Technical School became established at Llysfasi under a Headmaster, Mr R . E. Vaughan Roberts. Mr. Vaughan Roberts had been Headmaster of Llanarmon yn Iâl School since 1920. His school at Llysfasi was an experimental one to provide a two year course of general secondary education for 13 year olds with an agricultural bias. While at Llysfasi he carried out much private research into moths. His abilities in this field were not recognised until he left Llysfasi and in his retirement he became a resident panel member of the Welsh Nature programme, 'Byd Natur', with amongst others the well known Professor R. Alun Roberts, Professor of Agricultural Botany at Bangor. Plan were afoot in 1945 to make the school into a permanent feature of Llysfasi. 'D.S'. in a report to

D.S. mewn adroddiad i'r Cyngor Sir yn Ionawr 1946:

"Ni fydd y cae lle mae'r Ysgol Dechnegol newydd i gael ei hadeiladu ar gael ar gyfer cnydau eleni ac ni ellir, felly, ei gynnwys fel rhan o'r fferm. Bydd yn well, felly, peidio ag aredig y cae oherwydd bydd yn haws i loriau gludo deunyddiau adeiladu i'r ysgol."

Ni fu i'r cynlluniau hyn ddwyn ffrwyth, a hynny'n rhannol oherwydd bod y Weinyddiaeth Amaeth o'r farn y dylai Llysfasi fynd yn ôl i'w rôl lawn fel Sefydliad Ffermio cyn gynted ag y bo modd. Caeodd yr Ysgol Gynradd Dechnegol ei drysau ar Orffennaf 17eg 1947.

Er i'r rhyfel ddod i ben yn 1945, roedd yn 22ain Hydref 1946 cyn y gallodd y 'Farmer and Stockbreeder' gofnodi'r canlynol dan y pennawd 'Principal Returns':

"Mae Mr D. S. Edwards, Swyddog Gweithredol gyda P.A.G.Rh. yn Sir Ddinbych wedi dychwelyd i'w swydd cyn y rhyfel fel Pennaeth Sefydliad Ffermio Llysfasi, ac fe'i olynir gan Mr Idwal Jones, cyn-Swyddog Gweithredol gyda P.A.G.Rh. ym Maesyfed."

the County Council in January 1946 said that:

"The field on which the new Technical School is to be built will not be available for cropping this year and cannot, therefore, be included as part of the farm, It will be better, therefore, not to plough the field as it will be easier for lorries to take building materials to the school."

These plans never reached fruition, partly because the Ministry of Agriculture was of the opinion that Llysfasi should revert to its full role as a Farm Institute, as soon as possible. The Junior Technical School closed its doors on July 17th 1947.

Although war ended in 1945, it was not until 22nd October 1946 that the 'Farmer and Stockbreeder' was able to report under the heading 'Principal Returns':

"Mr. D. S. Edwards, Executive Officer, Denbighshire W.A.E.C., has returned to his pre-war post as Principal of Llysfasi Farm Institute, and is succeeded by Mr. Idwal Jones, previously Executive Officer for Radnor W.A.E.C."

Junior Technical School Boys

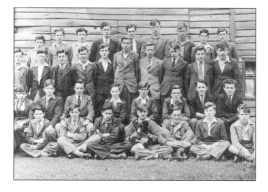

Nodwyd y canlynol mewn Rhybudd arall i'r Wasg yn 1946, dan y pennawd 'Farm Institute',

"Mae Sefydliad Ffermio Llysfasi, sefydliad hyfforddiant amaethyddol Cyngor Sir Ddinbych, ar fin adfer ei holl weithgareddau cyn y rhyfel ac mae staff y Sefydliad, a drosglwyddwyd i Bwyllgor Amaethyddol y Rhyfel yn y Sir yn ystod blynyddoedd y rhyfel, wedi dychwelyd i'w swyddi."

Another Press Notice in 1946, under the heading 'Farm Institute', stated

"Llysfasi Farm Institute, the Denbighshire County Council agricultural training establishment, is about to resume full pre-war activities and the staff of the Institute, which was seconded to the County War Agricultural Committee during the war years, has returned to duty."

Mr Arthur Morris

*First Post war course
for girls, April 1947*

Fred, Wyn and Clochydd the bull

Ailddechreuwyd cynnal cyrsiau ar ddydd Llun 28ain Hydref 1946 ar gyfer dynion gyda chwrs wyth wythnos mewn pynciau amaethyddol, ac ailddechreuodd y cwrs ar gyfer 24 o fyfyrwragedd ar 21ain Ebrill 1947 gyda chwrs tebyg o ran hyd i'r cyrsiau gwyddor ddomestig, llaethyddiaeth, cadw ieir a garddio. Dim ond unarddeg o fyfyrwyr gwrywaidd roddodd eu henwau ar gyfer y cwrs cyntaf hwn a dim ond wyth o ferched allodd ddychwelyd ar gyfer yr ail dymor y mis Ionawr canlynol. O ganlyniad, cafodd ei redeg ar yr un pryd â'r Cwrs Cynradd Technegol. Rhoddwyd dau reswm am hyn - diffyg amser ar gyfer hysbysebu'r cwrs oedd un, a'r llall oedd problem gyda'r effaith fyddai mynychu'r cwrs wedi'i gael ar oblygiadau posibl Gwasanaeth y dynion ieuainc i'r Lluoedd Arfog. Fel y dengys y llun, roedd llawer mwy yn bresennol yn y cwrs a adferwyd ar gyfer y genethod.

Courses were resumed on Monday 28th October 1946 for men with an eight week course in agricultural subjects, while the resumed course for 24 women students began on 21st April 1947 with a course of similar duration in domestic science, dairying, poultry-keeping and gardening. Eleven men students enrolled for this first course, only eight of whom were able to return for the second term in the following January. As a result, it was run concurrently with the Junior Technical Course. Two reasons were given for this - one was the lack of time for advertising the course, the other was a problem with the effect that attendance on the course would have had on the young men's possible National Service obligations. As the photograph shows, the resumed course for girls was much better attended.

*First Post war course
for men, October 1946.*

Girls Courses 1950/51

Y Pumdegau

The Fifties

Newidiwyd gwedd amaethyddiaeth a'i bwysigrwydd i'r Sir yn sylweddol o ganlyniad i'r rhyfel. Adlewyrchwyd hyn yn agwedd yr awdurdodau tuag at le amaethyddiaeth yn y byd ôl-ryfel a sylweddolwyd os oedd amaethyddiaeth am lwyddo, bod angen agwedd newydd ym maes addysg amaethyddol. Yn lle'r ddau hen dymor o wyth wythnos ar gyfer dynion yn unig cafwyd cwrs blwyddyn newydd ar gael i ddynion a merched. Roedd hyn yn gofyn am ymrwymiad gwahanol i'r ymrwymiad oedd yn bodoli eisoes gan y gymuned ffermio ar gyfer addysg bellach i'w meibion a'u merched. Adlewyrchwyd y mathau o gyrsiau a gynigiwyd ar gyfer Sefydliad y Merched yn ystod y rhyfel, ac a oedd yn llwyddiant ysgubol, yn y modd y dilewyd yr hen gwrs llaethyddiaeth. Yn lle hwn cafwyd cwrs 'Economi Domestig Gwledig' llawer mwy cynhwysfawr ynghyd â chwrs wyth wythnos byr yn ystod yr haf.

The face of agriculture and its importance to the country was changed very much as the result of war. This was reflected in the attitude of the authorities to the place of agriculture in the post-war world and there was a realisation that if agriculture was to succeed, a new attitude was required in the field of agricultural education. The old two terms of eight weeks for men only was replaced by a new one year course available to both men and women. This required a different commitment by the farming community towards the further education of their sons and daughters from that which had existed previously. The type of courses which had been laid on for the Women's Institutes during the war and which were of great success were reflected in the abandonment of the old dairying course. This was replaced by a much more comprehensive 'Rural Domestic Economy' course together with a short eight weeks summer

Mens Courses 1950/51

Disgwyliwyd i'r cynnydd yn nifer y myfyrwyr y gellid ei ragdybio roi pwysau ar y llety oedd ar gael yn Llysfasi. Wrth lwc, roedd Neuadd Pentrecelyn gyfagos ar y farchnad ac fe'i prynwyd yn 1952.

Roedd amaethyddiaeth wedi dod yn llawer mwy mecanyddol ac fe adlewyrchwyd hyn hefyd ym mhendefyniad y Cyngor Sir bod angen cyfleusterau arbenigol yn y maes hwn. Y canlyniad oedd i Mr Gwynfor Hughes gael ei benodi yn 1954 fel Hyfforddwr cyntaf y Sefydliad mewn Peiriannau Fferm. Prin iawn oedd y cyfleusterau oedd ar gael i ddechrau. Roedd ei gyrsiau cyntaf yn llwyddiant ysgubol, cymaint felly fel y bu i'r Cyngor fuddsoddi swm a oedd yn swm mawr o arian bryd hynny, sef £5000, ar gyfer sefydlu Gweithdai Peirianneg arbenigol.

Daeth pwysigrwydd ffermydd mynydd i economi'r wlad a'i goroesiad yn amlwg yn ystod y Rhyfel. Roedd Awdurdod Addysg Sir Ddinbych yn ymwybodol iawn o hyn a sylweddolodd y dylai cyrsiau Llysfasi adlewyrchu eu pwysigrwydd. Fodd bynnag, roedd yn 1956 cyn i gyfle i brynu fferm fynydd, a oedd yn ddigon agos i Lysfasi, ddod ar gael. Felly, prynwyd Fron Heulog, fferm 67 erw gyda 41 erw ar uchder o 305 metr a 26 erw o dir mynyddig nodweddiadol, yn codi o 305 i 362 metr. Roedd yna gyfleoedd gwerthfawr

course. The increase in student numbers which could be envisaged was expected to put pressure on the accommodation which was available at Llysfasi. Fortunately, nearby Pentrecelyn Hall was on the market and this was purchased in 1952.

Agriculture had become much more mechanised and this too was reflected in the County Council deciding that special facilities were required in this field. The result was that Mr. Gwynfor Hughes was appointed in 1954 as the Institute's first Instructor in Farm Machinery. The facilities available in the initial stages were minimal. His first courses were a great success, so much so that the County invested the then large sum of £5000 in establishing a specialist suite of Engineering Workshops.

The importance of hill farms to the country's economy and survival had become apparent during the War. Denbighshire's Education Authority was well aware of this and realised that Llysfasi's courses should reflect their importance. However, it was not until 1956 that the opportunity to purchase a hill farm, which was near enough to the homestead, became available. Thus, Fron Heulog, a farm of 67 hectares, with 41 hectares at an elevation of 305 metres and 26 hectares of typical mountain land, rising from 305 to 362 metres, was purchased. Valuable opportunities were therefore now

Gwynfor Hughes and students
in Engineering Workshops

yn awr felly i fyfyrwyr ddysgu'r elfennau theori ac ymarferol oedd yn berthnasol dan amodau oedd yn nodweddiadol o lawer o rannau o Ynysoedd Prydain.

Roedd mynychu sioeau defaid gorau'r wlad yn parhau i fod yn bwysig. Yn 1953, enillodd Defaid Mynydd Cymreig y Sefydliad Gwpan y Coroni ar gyfer anifail gorau'r brid yn Sioe Smithfield, ac felly hefyd ym mhob un o'r blynyddoedd dilynol.

Ar yr ochr addysgol, cyflwynwyd cyrsiau rhan-amser rhyddhau am ddiwrnod yn 1959. Bwriad y rhain oedd bod o fudd i'r rhai hynny na allai adael eu ffermydd am fwy nag un diwrnod yr wythnos ac, yn fwy na hynny, roeddynt yn cael eu hamseru fel bod y dyletswyddau bore a nos yn dal i allu cael eu cyflawni heb achosi unrhyw anghyfleustra diangen. Yn ystod blwyddyn gyntaf yr arbrawf newydd, ymunodd bron i gant â'r cynllun. Ymgymerodd y staff â'r dosbarthiadau hyn yn Llysfasi ei hun ac yn y dechrau, ar sail allgyrhaeddol, gan fynd allan at y myfyrwyr yn ardaloedd eu cartrefi. Roedd hyn yn cynnwys trefnu lleoliadau mewn chwe ardal. Gwnaeth amser y staff, mewn amser teithio a'r amser a gollwyd o'r dosbarth, y system hon yn anghynhyrchiol a dychwelodd y gwaith rhan-amser i gyd i'r prif Sefydliad.

Roedd yr hyfforddiant a roddwyd yn seiliedig ar Gyrsiau City and Guilds Llundain mewn Amaethyddiaeth, ac yng

available to students to learn both the theory and practice that applied under conditions which were typical of many parts of the British Isles.

Attendance at the country's premier sheep shows was still important. In 1953, the Institute's Welsh Mountain Sheep won the Coronation Cup for the best exhibit of the breed at the Smithfield Show, as they did in each of the following years.

On the education side, 1959 saw the introduction of part-time day release courses. These were intended to benefit those who could not be spared from their home farms for more than one day a week and, furthermore, were timed so that morning and evening duties could still be carried out without any undue inconvenience. During the first year of the new experiment, nearly a hundred had joined the scheme. Staff undertook these classes at Llysfasi itself and initially, on an outreach basis, went out to the students in their home areas. This entailed arranging venues at six locations. Staff time, in travelling time and time lost from the 'chalk face' made this system unproductive and all part time work reverted back to the main Institute.

The instruction given was based on the City and Guilds of London Courses in Agriculture which, in Stage One,

Ngham Un , roedd y rhain yn cynnwys Hwsmonaeth Cnydau, Hwsmonaeth Anifeiliaid a Chwrs Cyflwyniadol mewn Peiriannau Fferm. Roedd Camau Dau a Thri, oedd yn anos, ar gael hefyd. Roedd y Cwrs Economi Domestig Gwledig oedd wedi'i gynllunio ar gyfer genethod wedi'i ymestyn dros gyfnod o dair blynedd. Yn ystod y cyfnod hwnnw, rhoddwyd hyfforddiant mewn coginio a chadwraeth, gwnïo, gwaith golchi gartref, clustogwaith a dodrefnu, clymu cywion ieir, llaethyddiaeth, garddio, cadw tŷ a chyfrifon.

included Crop Husbandry, Animal Husbandry and an Introductory Course in Farm Machinery. The more advanced Stages Two and Three were also available. The Rural Domestic Economy Course designed for the girls was spread out over a three year period. During that time, instruction was given in cookery and preservation, needlework, home laundrywork, upholstery and furnishing, poultry trussing, dairying, gardening, household management and accounts.

Y Chwedegau -
Cyfnod o Newid

The Sixties -
A Time of Change

*D*atblygodd y symudiad tuag at foderneiddio a ddechreuwyd yn y pumdegau ym mhatrwm addysg amaethyddol y wlad yn hynod o gyflym. I raddau helaeth, nid oedd y patrwm hwn wedi datblygu o'r mowld y'i crewyd ynddo ddeng mlynedd ar hugain ynghynt. Mewn un ffordd, roedd y datblygiad newydd hwn yn adlewyrchu'r newidiadau oedd i'w gweld yn y byd addysg yn gyffredinol. Cyn y gallai unrhyw ddatblygiad ddigwydd mewn gwirionedd, rhaid oedd wrth newidiadau yn y modd yr oedd Llysfasi'n cael ei lywodraethu. Digwyddodd hyn yn 1961 pan sefydlwyd Bwrdd Llywodraethwyr yn lle'r Pwyllgor Ffermio, sef Is-Bwyllgor y Pwyllgor Addysg Amaethyddol. Ei dasg gyntaf oedd gwneud gwerthusiad trwyadl a chyflawn o'r Sefydliad, adeiladau'r fferm, y cyfleusterau ar gael i'r myfyrwyr o safbwynt staffio, y cyfleusterau dysgu a'r cyfleusterau preswyl a hamdden ynghyd â'r ffordd yr oedd y Coleg yn cael ei reoli. Roedd hwn yn gyfnod hefyd pan

*T*he movement towards modernisation begun in the fifties in the pattern of agricultural education in the county, which to a large extent had been stuck in the mould created thirty years previously, developed at an increasing pace. In one way this mirrored the changes which were taking place in education generally. Before development could really happen, changes had to take place in the way in which Llysfasi was governed. This was brought about in 1961 when the Farm Committee, a Sub-Committee of the Agricultural Education Committee was replaced by a Board of Governors. Its first task was to make a thorough and complete appraisal of the Institute, its farm buildings, the facilities available for its students from the point of view of staffing, learning facilities, residential and leisure facilities together with the way the College was managed. This also was a time when many of the farm staff, from the bailiff to the

Old farmbuilding

Old farmbuilding

New hostel

Hostel study bedroom

oedd llawer o staff y fferm, o'r pen-hwsmon i'r gweithwyr, oedd wedi bod ar y staff ers diwedd y dauddegau a dechrau'r tridegau, yn dechrau ymddeol. Yn y cyfnod hwn hefyd y bu i'r Weinyddiaeth Amaeth, wedi derbyn cyngor y Gwasanaeth Amaethyddol Ymgynghorol Cenedlaethol a thrwyddynt, orchymyn adeiladu hostel newydd ar gyfer chwe deg o fyfyrwyr, gan ddymchwel hen adeiladau'r fferm oedd wedi mynd yn hen ers cryn amser a chodi yn eu lle adeiladau a adeiladwyd i bwrpas i fod yn addas ar gyfer gweddill y ganrif a thu hwnt i hynny.

Cwblhawyd cam cyntaf yr ailfodelu yn 1961 drwy godi'r hostel newydd ar gost o £94,000. I gydnabod y cymorth a roddodd y Weinyddiaeth Amaeth a'i Swyddogion i'r prosiect ac i gynllunio adeiladau newydd y fferm, gwahoddodd y Llywodraethwyr Mr W. Emrys Jones, Cyfarwyddwr y Gwasanaeth Amaethyddol Ymgynghorol Cenedlaethol i agor y cyfleuster yn swyddogol. Gwnaed hyn mewn seremoni ym mis Mai 1962.

Yn ei adroddiad i'r Llywodraethwyr ar ôl agor yr hostel, dywedodd y Pennaeth D. S. Edwards bod y myfyrwyr wedi bod yn amheus iawn o'u hamgylchiadau newydd i ddechrau. Roeddynt yn colli'r cyfeillgarwch yr oedd yr hen system o ystafelloedd cysgu i griw mawr yn ei greu. Fodd bynnag, aeth yr amheuaeth hwn yn angof ac roeddynt yn gwerthfawrogi yn awr breifatrwydd y

workers, who had been on the staff since the late twenties and early thirties, were beginning to retire. It was at this time, with the advice of the National Agricultural Advisory Service and through them that the Ministry of Agriculture sanctioned the building of a new hostel for sixty students, demolishing the old farm buildings which were well past their best and replacing them with purpose-built buildings fit for the rest of the century and beyond.

The first phase of re-modelling was completed in 1961 with the erection of the new hostel block at a cost of £94,000. To acknowledge the assistance which the Ministry of Agriculture and its Officers had given to the project and to the planning of the new farm buildings, the Governors invited Mr. W. Emrys Jones, Director of the National Agricultural Advisory Service to perform the Official Opening ceremony. This took place in May 1962.

In his report to the Governors after the opening of the hostel, Principal D.S. Edwards said that the students had been very sceptical about their new surroundings at first. They missed the comradeship which the old dormitory system engendered. However, the phase had passed and they now appreciated the privacy of the new system and the improvement

system newydd a'r modd yr oedd wedi bod o gymorth i wella eu gwaith astudio preifat. Yn yr un adroddiad, cyflwynodd y Pennaeth fanylion am y newidiadau oedd yn digwydd yn nhrefniant y fferm. Sylweddolwyd nad oedd cadw'r Gwartheg Llaeth Byrgorn, fu'n brif gynheiliaid adran Laeth y Sefydliad ers cymaint o flynyddoedd, yn bosibl yn economaidd bellach ac roedd y camau gweithredol cyntaf wedi cael eu cymryd i gwlio'r fuches. Yn unol â thueddiadau cenedlaethol, roedd buches Friesian yn cael ei sefydlu. Rhoddwyd gwybod i'r aelodau hefyd bod y dull o wneud silwair wedi cael ei newid hefyd i'r 'Dull Gwywo'.

Erbyn 1965, roedd adeiladau'r fferm yn barod ar gyfer eu hagor yn swyddogol. Yn wir, roedd hwn yn ddiwrnod i ymfalchïo ynddo i'r Pennaeth D. S. Edwards oherwydd cynhaliwyd y seremoni ar ddydd Mercher, 23ain Mehefin, gan Ei Fawrhydi Tywysog Philip, K.G., K.T.

Roedd rhaid aros am ddwy flynedd arall cyn i'r bloc dysgu gael ei gwblhau. Ers hynny, mae llawer o welliannau eraill wedi cael eu gwneud yn raddol.

Mae'n werth nodi'r cyrsiau wnaed ar gael bryd hynny:

● Cwrs blwyddyn llawn-amser Ôl-T.G.A. mewn Hwsmonaeth Glaswelltir;

which this made to their private studies. In the same report, the Principal reported on the changes which were taking place in the organisation of the farm. It had been realised for a long time that maintaining the Dairy Shorthorn herd, which had been the mainstay of the Institute's Dairy section for so many years, was no longer economically viable and the first active steps had been taken to cull the herd. In line with national trends, a Friesian herd was being built up. Members were also informed that the method of silage making had also been changed to 'The Wilting Method'.

By 1965, the Farm buildings were ready for their Official Opening. Indeed this was a proud day for Principal D.S. Edwards as the ceremony was carried out on Wednesday, 23rd June, by His Royal Highness The Prince Philip, K.G., K.T,

It was to be another two years before the teaching block was complete. Since then several other improvements have gradually taken place.

Worth noting are the courses then made available:

● One year full-time Post - N.C.A. Course in Grassland Husbandry.
● One year full-time course leading to the Examination of the National Certificate in Agriculture.

HRH The Prince Philip unveils plaque - the official opening of the new farm buildings

- Cwrs blwyddyn llawn-amser yn arwain at Arholiad y Dystysgrif Genedlaethol mewn Amaethyddiaeth;
- Cwrs blwyddyn, llawn-amser yn rhoi Tystysgrif mewn Amaethyddiaeth ar gyfer Merched;
- Cwrs rhan-amser rhyddhau am ddiwrnod yn arwain at Arholiad Cam 1, Cam 2 a Cham 3 (Rheoli a Threfnu Fferm) Sefydliad City and Guilds Llundain;
- Cyrsiau rhan-amser Camau 1, 2 a 3 mewn Economi Domestig Gwledig i Enethod.

Daeth rheolaeth uniongyrchol y Weinyddiaeth Amaeth dros y system o Sefydliadau Ffermio i ben, rheolaeth oedd wedi bodoli ers y Rhyfel Byd Cyntaf. Nid oedd Llysfasi'n Sefydliad Ffermio bellach. Daethpwyd i'w adnabod yn awr fel Coleg Amaethyddol Llysfasi.

Sicrhaodd Mr D. S. Edwards bod y newidiadau hyn i gyd yn dwyn ffrwyth. Gallai hefyd fod yn falch iawn o'r oll a gyflawnodd yn Llysfasi yn ystod ei gyfnod yno fel Pennaeth. Ar Awst 31ain 1967, wedi gwasanaethu nid yn unig y Sefydliad ond ei ardal leol hefyd, ac yn arbennig ei gapel lleol ym Mhentrecelyn lle roedd yn flaenor, ymddeolodd gyda'i wraig i Gaernarfon.

- One year full-time Certificate Course in Agriculture for Women.
- Part-time day release course leading to the Examination of Stage 1, Stage 2 and Stage 3 (Farm Management and Organisation) of the City and Guilds of London Institute.
- Part-time course in Stages 1,2 and 3 in Rural Domestic Economy for Girls.

The Ministry of Agriculture ceased to have any direct control over the system of Farm Institutes which had been in place since the First World War. Llysfasi was no longer a Farm Institute. It now became known at Llysfasi College of Agriculture.

Mr.D.S. Edwards saw all these changes to fruition. He too could be very proud of all that was accomplished at Llysfasi during his term of office. On August 31st 1967, having served not only the Institute but his local area and especially his local chapel at Pentrecelyn, where he was a deacon, he retired with his wife to Caernarfon.

'COLEG NEWYDD LLYSFASI'

THE NEW LLYSFASI COLLEGE'

Olynwyd Mr D. S. Edwards gan Mr Maldwyn Fisher ac felly dechreuwyd ar gyfnod newydd arall. Roedd ei gyfnod ef yn gyfnod o atgyfnerthu ac adeiladu ar y sylfaen yr oedd wedi'i hetifeddu gan ei ddau ragflaenydd. Parhaodd y newidiadau yn y cwricwlwm, yng nghydbwysedd stoc y fferm ac yn y ddarpariaeth o adeiladau newydd. O'r diwedd, cafodd y bloc dysgu a ailfodelwyd allan o sied wartheg Mr Brown yn y dauddegau ei ail-leoli ar safle'r hen ysgubor. Dywedodd y 'Farm News' ar Fehefin 26ain 1965 ei bod wedi bod yn fwriad unwaith i ailadeiladu'r ysgubor, y dywedwyd ei bod yn fwy na 600 mlwydd oed, yn Amgueddfa Werin Cymru yn Sain Ffagan, Caerdydd. Oherwydd yr anawsterau a gafwyd yn ystod y broses o ddatgymalu, rhoddwyd y gorau i'r cynlluniau hyn a dymchwelwyd yr ysgubor. Dymchwelwyd yr hen siediau moch hefyd a chodwyd rhai newydd yn eu lle.

Mr. D.S. Edwards was succeeded by Mr. Maldwyn Fisher and thus began another new era. His was a time of consolidation and building on to the base which he had inherited from his two predecessors. Changes in the curriculum, in the balance of the farm stock and in the provision of new buildings continued. The teaching block which had been remodelled out of Mr. Brown's cowshed in the twenties was eventually replaced on the site of the old barn. The 'Farm News' of June 26th 1965 had reported that at one time it had been the intention to rebuild the barn, reputed to be over 600 years old, at the Welsh Folk Museum at St. Fagan's Cardiff. Due to difficulties incurred during the dismantling process, these plans were abandoned and the barn was demolished. The old piggeries were demolished and replaced by new ones.

Codwyd y gyr o hanner cant o foch, oedd â hanner ohonynt o frid Gwyn Mawr a'r hanner arall o frid y Moch Cymreig traddodiadol, i fyny i bwysau cig moch a'u gwerthu ar gontract. Gan eu bod yn llai ymarferol yn fasnachol nag yn ystod y blynyddoedd cynt, lleihawyd nifer y moch a'r ieir a gadwyd yn unol â thueddiadau masnachol y dydd. Fe'i hystyriwyd yn gyfrwng dysgu da ar gyfer hyfforddi myfyrwyr mewn sgiliau cofnodi ac ni chafwyd gwared ohonynt i gyd.

Pan ddaeth Mr Fisher yn Bennaeth, roedd pum buwch o'r hen fuches Laeth Fyrgorn ar ôl. Cafwyd gwared o'r rhain a chodwyd buches o 60 o Fuchod Friesian. Roedd buches sugno o oddeutu 40 o Wartheg Duon Cymreig yn Fron Heulog a daethpwyd â'r rhain i lawr i'r brif fferm yn ystod misoedd gwaethaf y gaeaf er mwyn ei gwneud yn haws gofalu amdanynt. Cyflwynwyd bridiau newydd o wartheg yn unol â'r tueddiadau cenedlaethol ac am y tro cyntaf, bu i'r bridiau Charolais a Limousin ddod yn rhan o stoc y Coleg. Croeswyd y Charolais gyda'r Duon Cymreig brodorol i gynhyrchu gwell pwysau bîff.

Am y tro cyntaf yn hanes y fferm ac unwaith eto mewn ymdrech i arwain 'syniadau newydd' mewn perthynas â'r praidd o ddefaid, adeiladwyd siediau defaid a siediau cneifio arbenigol ym mhen draw Cae Llyn. Esgorodd hyn ar

The herd of fifty pigs, being roughly half Large White and half the traditional Welsh Pig were brought up to bacon weight and sold on contract. Being less commercially viable than in previous years, the pig herd and poultry flock were reduced in number in line with the commercial trends of the day. They were considered to be good teaching media for training students in recording skills and were not disposed altogether.

On Mr. Fisher's arrival, there were still five of the old Dairy Shorthorn herd left. These were disposed of and a herd of 60 Freisian Cows built up. Fron Heulog supported a suckler herd of approximately 40 Welsh Black Cattle which for ease of herding were brought down to the main farm for the worst of the winter months. New breeds of cattle were introduced in keeping with national trends so that, for the first time, the Charolais and Limousin breeds appeared. The Charolais were crossed with the indigenous Welsh Black to produce better weight of beef.

For the first time in the farm's history and again in an effort to lead the 'new thinking' with regard to the sheep flock, specialist sheep and shearing sheds were built at the far end of 'Cae Llyn'. This improved

amodau ŵyna llawer gwell - a oedd yn cyfan gwbl yn yr awyr agored gynt - a hefyd gwelwyd gwelliant sylweddol yn yr amodau oedd ar gael ar gyfer hyfforddiant cneifio defaid. Gwnaed newidiadau i'r praidd o famogiaid. Teimlwyd bod dirywiad wedi bod ym mhwysigrwydd masnachol y Ddafad Gymraeg Well ac o ganlyniad cafwyd gwared o'r praidd hwn erbyn 1975, ynghyd â'u croesiadau amrywiol, a chafodd y praidd ei sefydlogi ar fridiau eraill. Roedd yr 800 o famogiaid bridio yn cynnwys 300 o famogiaid Mynydd Cymreig Caled oedd yn cael eu rhoi i Feheryn Border Leicester a 500 o Famogiaid Hanner-Brid Cymreig oedd yn cael eu rhoi i Feheryn Down.

Cyhoeddwyd anrhydedd cwbl haeddiannol yn Rhestr Anrhydeddau Pen Blwydd y Frenhines yn 1972 sef dyfarnu Medal yr Ymerodraeth Brydeinig i Mr Thomas Ellis Roberts, bugail y Coleg am "wasanaethau eithriadol i amaethyddiaeth ac addysg amaethyddol". Yn hannu o Gynwyd, roedd wedi bod yn fugail am gyfnod o ddeng mlynedd ar hugain. Fe gyflwynwyd yr anrhydedd iddo mewn seremoni a gynhaliwyd ar y 23ain Medi gan Arglwydd Raglaw Sir Ddinbych, Syr Watkin Williams Wynn.

Nid hwn oedd yr unig anrhydedd a ddaeth i'w ran, oherwydd ryw ddwy flynedd yn ddiweddarach, cyflwynwyd cerflun bychan hyfryd iddo o fugail a'i gi

lambing conditions - which were previously entirely in the open - and also very much improved the conditions available for sheep shearing instruction. Changes took place in the ewe flocks. It was thought that there had been a decline in the commercial importance of the Improved Welsh Sheep so that by 1975, this flock, together with their various crosses had been disposed of and the flock had been stabilised on other breeds. The 800 breeding ewes consisted of 300 Hardy Welsh Mountain ewes put to Border Leicester Rams and 500 Welsh Half-bred Ewes put to Down Rams.

A richly deserved honour announced in the Queen's Birthday Honours List in 1972 was that of the British Empire Medal to Mr. Thomas Ellis Roberts, the College's shepherd for "outstanding services to agriculture and agricultural education". Hailing from Cynwyd, he had been shepherd for a period of thirty years. It was presented to him at a ceremony held on the 23rd September by the Lord Lieutenant of Denbighshire, Sir Watkin Williams Wynn.

This was not the only honour to come his way, as some two years later he was presented with a beautiful statuette of a shepherd and his dog by Professor Gordon Dickson, Professor of Agriculture of

Mr Thomas Ellis Roberts, shepherd, received runner-up Shepherd of the Year.

gan yr Athro Gordon Dickson, yr Athro Amaethyddiaeth ym Mhrifysgol Newcastle, am gyrraedd yr ail safle yng Nghystadleuaeth Genedlaethol Bugail y Flwyddyn.

Un elfen newydd a gyflwynwyd i'r cwricwlwm yn ystod y cyfnod hwn oedd cwrs tystysgrif blwyddyn mewn 'Amaethyddiaeth gydag Economeg y Cartref'. Roedd y cwrs hwn yn ymwneud â nid yn unig dysgu'r pynciau amaethyddol arferol, ond cyflwynodd hefyd arferion swyddfa a theipio, ynghyd â chadw cofnodion. Roedd mwy o ddefnydd yn cael ei wneud o allu'r Coleg i drefnu cyrsiau preswyl yn ystod cyfnodau gwyliau arferol. O'r diwedd hefyd, roedd pwysigrwydd y Gymraeg fel iaith fyw ym maes busnes yn cael ei gydnabod. Dechreuodd staff Addysg Bellach y Sir drefnu cyrsiau penwythnos preswyl ar gyfer dysgu Cymraeg, ynghyd â chyrsiau eraill mewn Celf, Symudiad Creadigol a Choginio.

Mae diwrnod gwobrwyo'r myfyrwyr yn chwarae rhan bwysig ym mywyd Llysfasi ac mae wedi bod yn draddodiad gwahodd pobl amlwg ym maes amaethyddiaeth ac addysg amaethyddol i fod yn siaradwyr gwadd ar y diwrnod arbennig hwn. Yn ystod cyfnod Mr Fisher, roedd y rhain yn cynnwys Mr Geraint Howells A.S., Cadeirydd Plaid Ryddfrydol Cymru, ffermwr defaid ac Is-Gadeirydd y Bwrdd Marchnata Gwlân, Mr Cledwyn Hughes, A.S. Llafur

Newcastle University as National Runner-up Shepherd of the Year.

An innovation introduced into the curriculum at this time was the one year certificate course in 'Agriculture with Home Economics'. This course involved not only the teaching of the usual agricultural subjects, but introduced office routine and typing together with record keeping. More use was being made of the College's ability to organise residential courses during normal vacation periods. At long last the importance of Welsh as a living language in the field of business was being acknowledged. The County's Further Education staff became involved in organising residential weekend courses for learning Welsh, together with other courses in Art, Creative Movement and Cookery.

Students' prize days play an important part in the life of Llysfasi. It has been the tradition to invite eminent people in the field of agriculture and agricultural education to be guest speakers. During Mr. Fisher's time, these included Mr. Geraint Howells M.P., the Chairman of the Welsh Liberal Party, a sheep farmer and Vice-Chairman of the Wool Marketing Board, Mr. Cledwyn Hughes, Labour M.P. for Anglesey (as he then was before becoming Lord Cledwyn) and former Minister of

Shepherd instructing Students

Ynys Môn (fel ag yr oedd bryd hynny cyn cael ei urddo'n Arglwydd Cledwyn) a chyn-Weinidog Gwladol Cymru, Syr Emrys Jones, Pennaeth y Coleg Amaethyddol Brenhinol, Cirencester a Phrif Ymgynghorydd y Weinyddiaeth Amaeth ar un cyfnod, Syr Henry Plumb, Llywydd Undeb Cenedlaethol yr Amaethwyr yn 1976, Mr Stephen Williams, cyn-Uwch Siryf Sir Drefaldwyn a Swyddog Cyswllt y Weinyddiaeth ar gyfer De Cymru ac Arglwydd Woolley.

State for Wales, Sir Emrys Jones, Principal of the Royal Agricultural College, Cirencester and at one time Chief Adviser to the Ministry of Agriculture, Sir Henry Plumb, President of the N.F.U. in 1976, Mr. Stephen Williams, former High Sheriff of Montgomeryshire and Ministry Liaison Officer for South Wales and Lord Woolley.

IX

PENNOD 9 / CHAPTER 9

LLYSFASI HEDDIW

LLYSFASI TODAY

Wedi tair blynedd ar ddeg fel Pennaeth, ymddeolodd Mr Maldwyn Fisher i Ruthun yn 1983 ac fe'i olynwyd gan Mr D. F. Cunningham. Heddiw, rhyw saith deg pump o flynyddoedd wedi i'r camau petrus cyntaf gael eu cymryd tuag at addysg amaethyddol breswyl yn Llysfasi, prin iawn yw goroeswyr y dyddiau cynnar hynny. Mae'r hen Manor House, a ddaeth yn hostel wreiddiol y myfyrwyr ac a elwir erbyn hyn, yn briodol iawn, yn 'Hendy', yn parhau i sefyll yn fawreddog tu hwnt. Y tu allan, mae'n dal i edrych yn debyg iawn i'r hyn a fu erioed. Y tu mewn, mae'n ganolbwynt gweinyddol i fenter sy'n ffynnu, menter na fyddai'r arloeswyr cynnar hynny wedi breuddwydio amdani fyth. 'Neuadd Heilyn' yw sied wartheg Mr Brown erbyn hyn. I ddechrau, bu'n Llaethdy, yn unig ddarlithfa'r Sefydliad ac yn swyddfa ac yn yr estyniadau coed a ychwanegwyd yn y tridegau, a alwyd gan y preswylwyr ar y pryd yn 'Y Baracs',

After thirteen years in post Mr. Maldwyn Fisher retired to Ruthin in 1983 and was succeeded by Mr. D.F. Cunningham. Today, some seventy five years since the first tentative steps into residential agricultural education were taken at Llysfasi, the survivors of those early years are few. The old Manor House, which became the original students' hostel - now appropriately named 'Hendy' still stand majestically. From the exterior it is very much as it always was. Internally it is the administrative hub of a thriving enterprise which could never been dreamed about by those early pioneers. Mr. Brown's cow byre which became the Dairy, the Institute's only lecture room and office together with a timber extensions added in the thirties, known to residents of the time as 'The Barracks', which housed some of the single young men working

cartrefwyd rhai o'r dynion sengl oedd yn gweithio ar erddi'r Sefydliad ac yn uned yr ieir a'r fferm. Roedd yn yr estyniadau hyn hefyd garej ar gyfer unig dractor y fferm. Mae ailfodelu pellach wedi ei throi yn llyfrgell ddeniadol, yn gaffi ac yn uned hyfforddi â ffitrwydd, ynghyd â neuadd ddarlithio fechan. Rhoddodd Adran Datblygiad Economaidd Cyngor Sir Clwyd swm sylweddol o arian tuag at y trawsnewidiad hwn ac ni fyddai'r gwaith wedi bod yn bosibl oni bai am yr arian hwn.

Fel Coleg yn y Gymuned, mae yna lawer o gydweithrediad gydag asiantaethau eraill sy'n ceisio darparu cyfleoedd addysgol. Yn 1984, ail-leolwyd swyddfeydd Clybiau Ffermwyr Ieuainc y Sir yn Llysfasi o Swyddfeydd Addysg Rhanbarthol Rhuthun. Yn 1985, sefydlodd Uned Menter Wledig Clwyd (UMWC/CREU), gydag arian gan y Gronfa Gymdeithasol Ewropeaidd ynghyd â Chyngor Sir Clwyd a Chyngor Dosbarth Glyndwr, raglen hyfforddi deugain wythnos i wella Rheolaeth ar Fusnesau Bychain.

Ar yr un pryd, derbyniodd y Coleg grant gan y Swyddfa Gymreig i ddatblygu a threialu cyrsiau amaethyddol drwy gyfrwng y Gymraeg. Yn 1985, enillwyd dyfarniad Tywysog Cymru am 'Gyfraniad Eithriadol i Hyfforddi Sgiliau Crefftau Gwledig'.

Nid oes amheuaeth ynghylch un peth, dan ei arweiniad dynamig presennol,

on the Institute's gardens, poultry unit and farm, with a garage for the farm's only tractor, is now 'Neuadd Heilyn'. Further remodelling has turned it into an attractive library, cafeteria, a fitness training unit, together with a small lecture hall. The Clwyd County Council Economic Development Division put in a substantial sum of money towards this conversion without which the work could not have been carried out.

As a College in the Community, there is a great deal of co-operation with other agencies which strive to provide educational opportunities. In 1984, the County Young Farmers' Clubs' offices were relocated at Llysfasi from the Ruthin Area Education Offices. In 1985, the Clwyd Rural Enterprise Unit (CREU) with funding from the European Social Fund together with Clwyd County Council and the Glyndwr District Council, set up a forty week training programme to improve Small Business Management. At the same time, the College obtained a Welsh Office grant to develop and pilot agricultural courses through the medium of Welsh. In 1985, a Prince of Wales award was gained for an 'Outstanding Contribution to Rural Craft Skills Instruction'.

Of one thing there is no doubt, under its present dynamic leadership, with

ynghyd â'r rhyddid a ganiatawyd yn 1992 ar gyfer statws hunan-lywodraethol, annibynnol ar reolaeth awdurdod lleol, mae ysbryd mentrus yr aroleswyr cynnar yn Llysfasi yn parhau i fod yn fyw iawn. Mae'r amrywiaeth o gyrsiau a gynigir yn awr yn syfrdanol i rywun o'r tu allan, a dim ond eu crybwyll a ellir ei wneud yn y cofnod hwn. Dim ond drwy astudio prospectws llawn y Coleg y gellir gwneud cyfiawnder â'r amrywiaeth hon.

Mae traddodiad Llysfasi o ddarparu'r addysg amaethyddol orau yn seiliedig heddiw, ym mlynyddoedd diwethaf y nawdegau, fel ag y bu erioed, ar ei fferm ei hun a redir yn fasnachol. Yn bwysig hefyd mae perthnasoedd gwaith agos a chyfeillgar gyda'r gymuned ffermio leol, gyda'r diwydiant amaethyddol yn gyffredinol a chyda chanolfannau addysgol eraill ac asiantaethau'r llywodraeth yn y wlad hon a thramor. Mae'r Coleg yn cynnal cysylltiad â Chanolbarth a Dwyrain Ewrop, yr Unol Daleithiau a Chanada a chyn belled ag Awstralia.

Cnwd pwysicaf y fferm yw glaswellt, sy'n ffurfio'r sail i effeithlonrwydd mentrau pori ei buchesi llaeth a bîff ynghyd â'r preiddiau o ddefaid. Mae'r prif gnydau eraill yn amrywio o haidd, tatws, betys porthi, rwdan a chnydau glasfwyd.

Yn wahanol i frid Byrgorn cymharol isel eu cynnyrch y dyddiau a fu, mae gan yr uned laeth heddiw oddeutu 120 o fuchod Friesian gyda pholisi o fridio a

the freedom granted in 1992 for an independent, self-governing status from local authority control, the enterprising spirit of the pioneers of old at Llysfasi remains very much alive. The range of courses now available, is, to the outsider, frankly staggering and can only be touched upon in this account. Justice can only be done by a study of the College's full prospectus.

Llysfasi's tradition of providing the very best in agricultural education is today, in the last years of the nineties, based , as it always has been, on its own commercially run farm. Important too is its close working and friendly relationships with the local farming community, the agricultural industry at large, with other education centres and governmental agencies in this country and overseas. The College retains contact with Central and Eastern Europe, the United States and Canada and as far afield as Australia.

The farm's most important crop is grass, which forms the basis for the efficiency of the grazing enterprises of its dairy and beef herds together with the sheep flocks. The other main crops range from barley, potatoes, fodder beet, swedes and forage crops.

Unlike the comparatively low yielding Shorthorn breed of days gone by, today's dairy unit has about 120 Friesian cows with a policy of breeding

bwydo sydd wedi'i amcanu at wneud y fenter yn ddull o ffermio sy'n creu elw uchel. Ceir uned fîff o oddeutu hanner cant o fuchod sugno ar dir uwch y fferm ac mae'r fenter hon yn fenter gwbl fasnachol. Fel yr holl ffermwyr a phobl eraill y byd amaethyddol sydd â chysylltiad â chynhyrchu llaeth a bîff, mae yna lawer o bryder ynghylch y dyfodol yng nghyfnod ysgrifennu'r llyfr hwn.

Mae Llysfasi wedi bod yn falch o'i ddefaid erioed gyda thraddodiad o arbenigo yn y brid Mynydd Cymreig brodorol. Mae ganddo yn awr breiddiau o oddeutu 1350 o famogiaid. Mae'r hen ysbryd cystadleuol - er ei fod yn un cyfeillgar - yn erbyn prif feistri preiddiau eraill y brid Mynydd Cymreig wedi cael ei anghofio yn awr ac yn ei le mae ysbryd cydweithredol o geisio gwella'r brid wedi dod i'r amlwg. Mae praidd arbennig sy'n dod ag ŵyn yn gynnar wedi cael ei ddatblygu ar gyfer marchnad y gwanwyn. Mae ail sied ddefaid fawr gyda system fwydo deiet gyflawn wedi cael ei hadeiladu ar waelod Ffordd Goch ger y gyffordd gyda'r A525. Ceir mynedfa i gerddwyr i'r uned hon drwy'r hen berllan ar ochr draw y ffordd i hostel y myfyrwyr.

Roedd y Llywodraethwyr dros ddeugain mlynedd yn ôl yn ymwybodol iawn o'r newidiadau oedd yn digwydd ym myd amaethyddiaeth gyda dyfodiad mwy a mwy o beiriannau fferm, a sylweddolwyd bod raid adlewyrchu hyn

and feeding aimed at making the enterprise into a highly profitable operation. A beef unit of approximately fifty suckler cows is based on the farm's higher land and is carried out as a strict commercial undertaking. As with all other agriculturists with an interest in dairy and beef production, there is, at the time of writing, much apprehension about the future.

Llysfasi has always been proud of its sheep with a tradition of specialism in the indigenous Welsh Mountain breed. It now has flocks of approximately 1350 ewes. The old spirit of competition - albeit a friendly one - against the other leading flockmasters of the Welsh Mountain breed has been replaced by a spirit of co-operation on a breed improvement programme. A specialist early lambing flock has been developed for the spring market. A second large sheep shed has been built with a complete diet feeding system at the bottom of Red Lane (Ffordd Goch) near the junction with the A525. A pedestrian access exists to this unit through the old orchard on the opposite side of the road to the students' hostel.

The Governors of over forty years ago were very aware of the changes that were taking place in agriculture with the advent of increased farm mechanisation and it was realised that

yn y Sefydliad. O gyflogi un hyfforddwr peiriannau yn y dechrau, datblygwyd Adran Beiranneg gyda gweithdy cerbydau modur, peiriannau amaethyddol a pheiriannau coedwigaeth gyda'r holl offer angenrheidiol, ac yno ceir staff arbenigol sy'n darparu cyrsiau llawn-amser, rhan-amser, cyrsiau byr a chyrsiau gyda'r nos ym mhob agwedd ar beirianneg a gwneuthuriad a sgiliau cynnal a chadw peiriannau.

Fe gofiwch i Lysfasi gael ei gyswllt cyntaf â phlant ieuainc yn yr ysgol yn ystod yr Ail Ryfel Byd, pan sefydlwyd Ysgol Gynradd Dechnegol ar y safle. Torrwyd y cyswllt hwn yn fuan wedi diwedd y rhyfel ac ni chafodd ei ailsefydlu tan ddiwedd y chwedegau a dechrau'r saithdegau. Heddiw, cynhelir cyrsiau 'cyswllt ysgol' arbennig mewn cydweithrediad â nifer o ysgolion uwchradd yng Ngogledd Cymru. Drwy gyfrwng cyfleusterau arbenigol ac arbenigedd Llysfasi darperir cyrsiau galwedigaethol mewn astudiaethau cerbydau modur a gwyddoniaeth amaethyddol.

Datblygiad arall llawer mwy diweddar yn y Coleg, sydd wedi'i leoli mewn ardal lle ceir coedwigoedd masnachol a choedwigoedd er pleser helaeth, yw sefydlu Adran Goedwigaeth a Chadwraeth fawr. Mae Llysfasi wedi dod yn un o'r ychydig golegau ledled y wlad a all ddarparu cyrsiau ar gyfer myfyrwyr sy'n dymuno arbenigo ym mhob agwedd ar y diwydiant 'cefn gwlad' pwysig hwn.

this had to be reflected at the Institute. From a single machinery instructor, it has grown into an Engineering Department with well equipped motor vehicle, agricultural machinery and forest machinery workshop manned by specialist staff who provide full-time, part-time, short and evening courses in all aspects of engineering and fabrication and machinery maintenance skills.

It will be remembered that Llysfasi had its first link with the young at school during the Second World War, when a Junior Technical School was established on site. The link was broken soon after the war ended and was not re-established until the late sixties and early seventies. Today, special 'school link' courses are held in association with a number of secondary schools in North Wales. The specialist facilities and expertise of Llysfasi provide vocational courses in motor vehicle studies and agricultural science.

A much more recent development at the College, situated as it is in an area of extensive commercial and amenity forests, has been the establishment of a large Forestry and Conservation Department. Llysfasi has become one of the few colleges throughout the country which can provide courses for students who wish to specialise in all aspects of this very important 'countryside' industry.

Mae ffermwyr wedi bod yn ymwybodol erioed eu bod yn geidwaid tir ac mai dim ond gweithio gyda'r fam natur a allant ac nid yn ei herbyn, ac o'r herwydd maent wedi bod yn 'gadwraethwyr' naturiol. Mae dulliau modern o fyw, rhuthr pobl y dinasoedd i gefn gwlad ar benwythnosau ac yn ystod gwyliau, a pha mor hawdd yw hi i drwch y boblogaeth fudo i fwynhau ei gyfleusterau, wedi dod â phroblemau yn eu sgîl. Mae angen arbenigwyr, yn y byd sydd ohoni, gyda gwybodaeth wyddonol am gadwraeth a gofal o'r amgylchedd. Mewn cydweithrediad â Choleg Garddwriaethol Cymru yn Llaneurgain, gweithredir cwrs rhyngosod dwy flynedd sydd wedi'i gynllunio ar gyfer myfyrwyr sy'n dymuno dilyn gyrfa mewn rheolaeth gefn gwlad.

Er bod y Coleg wedi'i leoli yn y Gymru Gymraeg, roedd naws y ddarlithfa a'r swyddfa, ond nid y fferm, yn arfer â bod yn naws Seisnig yn unig. Mae hyn hefyd wedi newid ac mae'r Coleg yn wir ddwyieithog erbyn hyn. Mae'r cyrsiau a gynigir heddiw yn Llysfasi yn adlewyrchu ac wedi arwain y ffordd o safbwynt darparu Cyrsiau Iaith, Ysgrifenyddol a Busnes. Mae'r adran hon yn darparu gwasanaethau hyfforddi ac ymgynghori o'r ansawdd proffesiynol gorau ac yn gyson â safonau uchaf y gymuned fusnes. Mae yna gyrsiau penodol a luniwyd yn arbennig ar gyfer datblygu sgiliau dwyieithog. Mae'r Adran Gymraeg i Oedolion yn gallu darparu

Farmers have always been conscious that they are custodians of land and that they can only work with mother nature and not against her and as such have been natural 'conservationists'. Modern ways of living, the rush of city people to the countryside at weekends and holidays and the ease which the population at large can migrate to enjoy its amenities, has brought about its own problems. Specialists are, in today's world, required with scientific knowledge of conservation and the care of the environment. In co-operation with Welsh College of Horticulture at Northop, a two year full-time sandwich course is in operation designed for students wishing to pursue a career in countryside management.

Although situated in Welsh Wales, the ethos of the lecture room and the office, but not of the farm, used to be solely an English one. This too has changed and the College is now truly bilingual. The courses on offer today at Llysfasi both mirror and have taken a lead in providing Language, Secretarial and Business Courses. This department provides training and consultancy services of the best professional quality consistent with highest standards of the business community. There are specific tailor-made courses to develop bilingual skills. The Welsh for Adults Department is able to provide 'Welsh

cyrsiau 'Cymraeg yn y Gwaith', lle gall staff busnes fynychu gwersi Cymraeg yn eu man gwaith.

Anrhydeddwyd dau aelod o staff gan Gymdeithas Amaethyddol Frenhinol Cymru fis Gorffennaf 1994 drwy iddynt dderbyn Medal Gwasanaeth Hir y Gymdeithas. Cyflwynwyd y medalau i Mr Iorwerth Davies, pennaeth yr adran ieir bryd hynny, a Mr Ifor Lloyd, yn Llanelwedd gan Ei Mawrhydi, Y Dywysoges Royal.

Pan ddaeth Llysfasi'n Sefydliad Ffermio gyntaf, roedd amaethyddiaeth yng nghanol anawsterau'r dirwasgiad wedi'r Rhyfel Byd Cyntaf. Rydym ni heddiw, sy'n byw'n gymharol foethus, yn tueddu i anghofio neu'n dymuno anwybyddu tlodi gwerin bobl y cyfnod hwnnw. Roedd y ffermwyr, ar y cyfan, yn byw mewn diwylliant ymgynhaliol. Un o amcanion y Llywodraeth wrth gefnogi creu Sefydliadau Ffermio oedd sicrhau dull mwy tebyg i fusnes o weithredu a gwneud amaethyddiaeth yn ddiwydiant yn ôl ei hawl ei hun. Cymerodd hyn amser maith, hyd at ddiwedd yr Ail Ryfel Byd efallai, i gael ei werthfawrogi. Dim ond yn ystod yr ugain mlynedd ddiwethaf y daeth y cyfle i gael addysg am oes yn realiti.

at Work' courses, where business staff can attend Welsh lessons in their place of work.

Two members of the staff were honoured by the Royal Welsh Agricultural Society in July 1994 by being awarded the Society's Long Service Medal. Mr. Iorwerth Davies, who was then in charge of the poultry section, and Mr. Ifor Lloyd were presented with their medals at Builth Wells by Her Royal Highness, The Princess Royal.

When Llysfasi first became a Farm Institute, agriculture was in the throes of the depression after the First World War. We today, living in comparative luxury, tend to forget or are ignorant of the poverty of the populace of that time. Farmers, on the whole, lived very much in a subsistence culture. One of the aims of the Government in supporting the establishment of Farm Institutes was to ensure more of a business-like approach and to make agriculture into an industry in its own right. This took a long time, possibly to the end of the Second World War, to be appreciated. It is only in the last twenty years that the opportunity for lifelong education has become a reality.

AC YFORY

AND TOMORROW

Mae aros yn eich unfan yn y byd sydd ohoni yn gyfystyr â mynd yn ôl!! Felly beth am y dyfodol? Mae'r mannau arbennig a grewyd ar gyfer y pynciau a grybwyllwyd yn flaenorol yn prysur fynd yn anaddas. Mae adeiladau'r fferm, yr hostel a'r bloc dysgu, oedd mor fodern dros ddeng mlynedd ar hugain a deugain mlynedd yn ôl, angen offer newydd neu adeiladau i gymryd eu lle yn ystod y pum neu'r deng mlynedd nesaf.

Cynhelir trafodaethau i foderneiddio cyfleusterau Llysfasi unwaith yn rhagor. Mae cynlluniau wedi cael eu creu, a'r costau wedi cael eu cyfrif, i fynd â'r Coleg ymlaen i'r mileniwm newydd. Y realiti yw bod myfyrwyr yfory'n mynd i alw am gyrsiau sy'n gadarn yn dechnolegol ac sy'n rhoi cymwysterau gwerth eu cael. Heb adeiladau digonol ac offer modern, ni ellir cwrdd â'r galw hwn. Ni ellir gwneud newidiadau dros nos chwaith, ond gobeithir y gellir eu

To stand still in today's world is to go backwards!! So what of the future? The areas devoted to the subjects previously mentioned are rapidly becoming increasingly inadequate. The farm buildings, hostel and teaching block, so modern over thirty and forty years ago either require refitting or replacing over the next five to ten years.

Active discussions are taking place to bring the facilities at Llysfasi up to date. Plans have been drawn up and costed to take the College into the new millennium. It is a reality that the students of tomorrow are going to demand courses which are both technologically sound and rewarded with worthwhile qualifications. Without adequate buildings and modern equipment these demands cannot be met. Changes cannot be made overnight, but it is hoped that they can be made over a reasonable period and

gwneud dros gyfnod rhesymol o amser a'u gwneud mewn pedwar cam, gyda phob cam wedi'i amcanu at welliannau yn y ddarpariaeth ffermio a'r ddarpariaeth academaidd.

Mae'r fenter ffermio wedi cael ei gweithredu ar sail fasnachol erioed, ac ar wahân i'r ochr addysgol. Un o'r agweddau lleiaf boddhaol ar y fenter ffermio bresennol yw cynllun gwasgarog a darfodedig adeiladau'r uned foch. Er mwyn gwella elw'r adran hon, bwriedir cael gwared â'r adeiladau presennol i gyd a chodi un adeilad i ddarparu llety ar gyfer hyd at 100 o hychod bridio a 1500 o foch tew hyd at 100kg o bwysau byw.

Mewn perthynas â'r ochr laeth a bîff, bwriedir ad-leoli a moderneiddio'r parlwr godro gan ei roi yn nes at y caeau pori a darparu mynedfa newydd i'r lori laeth.

Bydd yr adran Goedwigaeth yn cael uned yr ieir sy'n wag ac yn adeiladu mannau dysgu ac arddangos newydd yno. Datblygir y tir cyfagos ar gyfer epilio coed a llwyni gyda thwnel poly mawr yn darparu uned epilio gydol y flwyddyn. Byddai uned adwerthu'n sicrhau bod y stoc, fydd yn cynnwys planhigion gardd, ar gael i'r gymuned ffermio ac i eraill.

Bwriedir codi adeilad peirianneg newydd rhwng y ddau adeilad

be carried out in four phases, with each phase being aimed at improvements in farming and academic provision.

The farming enterprise has always been carried out on a commercial basis separate from that of the educational side. One of the least satisfactory aspects of the present farming enterprise is the scattered layout and obsolete buildings of the pig unit. To improve the profitability of this section, it is planned to remove all the present buildings and replace them with a single building to provide accommodation for up to 100 breeding sows and 1500 fattening pigs up to 100kg live weight.

On the dairy and beef side, it is planned to re-site and modernise the milking parlour nearer to the grazing fields and to provide a new access for milk lorries.

The Forestry section will take over the redundant poultry unit with the building of new teaching and demonstration areas. The adjacent land will be developed for tree and shrub propagation with an enlarged polytunnel providing an all the year round propagation unit. A retail unit would make the stock, which will include bedding plants, available to the farming community and others.

It is proposed to construct a new engineering building between the two

presennol i ddarparu ar gyfer hyfforddiant amaethyddol a pheirianegol sy'n hanfodol. Bydd hyn yn rhyddhau un o'r adeiladau presennol ar gyfer awto-mecaneg a bydd y sied arall yn darparu lle ar gyfer cynnal a chadw cerbydau ac offer ynghyd â gweithdy a gofod ar gyfer dosbarthiadau dysgu.

Hefyd, bwriedir cael gwell cyfleusterau hamdden a chyfleusterau byw i'r myfyrwyr. Bydd 'hostel newydd' y 1960au, sydd â chwe deg dau o lofftydd astudio, yn cael ei moderneiddio drwy ychwanegu ystafelloedd ymolchi en-suite.

Mae hwn yn gyfnod cyffrous iawn yn hanes Llysfasi - fel ag yr oedd yn y dauddegau i Isaac Jones, ei staff a'i fyfyrwyr. Mae'r gymuned yn gyffredinol, y staff presennol, yn academaidd ac yn ymarferol, yn edrych ymlaen at y dyfodol gyda chymaint o obaith a disgwyliadau â'u rhagflaenwyr.

existing buildings to cater essentially for agricultural and engineering instruction. This will release one of the existing buildings to be devoted to auto-mechanics while the remaining shed will provide accommodation for estate vehicle and equipment maintenance together with workshop and classroom teaching spaces.

Improved recreational and living facilities are planned for the students. The 'new hostel' of the 1960s, which has sixty two study bedrooms, will be upgraded by the addition of en-suite bathrooms.

These are exciting times in the history of Llysfasi - as they were in the twenties for Isaac Jones, his staff and students. The community at large, the present staff, academic and practical, look forward to the future with as much hope and anticipation as those of old.

1996 Staff and students

LLYFRYDDIAETH

1. Edwards, D.S. "A History of Llysfasi 1282 - 1920," Gwasg Gwynedd, Caernarfon, 1981

2. Cofnodion Amrywiol Pwyllgor Amaethyddol Hen Gyngor Sir Ddinbych

3. Cofnodion Amrywiol Pwyllgor Addysg Bellach Cyngor Sir Clwyd

4. Dogfen yn ymwneud â Llysfasi a gedwir yn Archifdy Clwyd, Ruthun

5. Llythyron a lluniau yn ymwneud â Llysfasi gan y ddiweddar Mr Hugh Jones, cyn-fyfyrwyr a chyn aelodau o staff.

BIBLIOGRAPHY

1. Edwards, D.S. "A History of Llysfasi 1282 - 1920," Gwasg Gwynedd, Caernarfon, 1981.

2. Various Minutes of the Agricultural Committee of the old Denbighshire County Council.

3. Various Minutes of the Further Education Committee of Clwyd County Council.

4. Document relating to Llysfasi deposited at the 'Clwyd Archive Offices', Ruthin.

5. Letters and photographs relating to Llysfasi by the family of the late Mr. Hugh Jones, old students and ex-members of staff.